KB076605

시작이 필요한 당신에게

시작이 필요한 당신에게

오경애
송수연
유슬기
이도렬
수인
다교
이성준
세보

들어가며

저희 집에는 아직 돌이 채 안 된 토끼띠 아이가 있습니다. 그가 세상에 처음으로 나선 날 우리는 그의 시작을 함께할 수 있어 기뻐했습니다. 처음으로 소리내 웃던 날, 배밀이를 하기 시작한 날, 아마도 걷고 말을 할 또다른 시작까지, 우리는 마음을 다해 축하하고 그에게 열렬한 응원을 보냅니다.

우리 모두는 찬란하든 사소하든 '시작'의 경험이 있습니다. 어제의 시작이 오늘을 만들었지요. 내일을 향해 살아가다 보면 여러 번의 시작을 만나게 됩니다. 아이와 달리 어른에게는 다시, 시작하는 것에 용기가 필요하기도 합니다. 이 책은 시작할 용기가 필요한 당신과 함께하는 글이 모였습니다.

지난 겨울엔 유독 눈이 많이 왔어요. '잿더미 위로 쌓인 눈'을, 소복한 눈 위를 처음으로 밟아봅니다. 뽀드득 한 소리와 깨끗한 발자국에 기분이 좋아집니다. 앞으로 이 마을엔 좋은 일만 가득할 것 같습니다. 한 발 한 발 천천히 걸어가며 백지와 같은 눈밭에다 꿈을 그려봅니다. 잠시의 시련은 꿈을 견고하게 하기 위해 필요했던 약간의 '간격'입니다. 혼자서 쉽지 않다면, 청춘을 함께할 동료의 도움을 받으며 걸어가면 됩니다. 푸릇한 꿈을 함께 꾸며 걷다 보면, 따스한 음악이 귓가에 들려옵니다. 'Our dream'. 맑은 우리를 감싸는 선율에 미소가 떠오릅니다.

물론 삶이 늘 안온한 것은 아닙니다. 걷다 보면 돌부리에 걸려 넘어질 뻔합니다. 그럴 때엔 무릎에 묻은 흙먼지를 털고 일어나다 보면 길가에 놓인 민들레가 봄을 이야기하는 것을 발견합니다. 가끔씩 '훈련소의 시련'과 같은 자갈돌에 발머리를 다칠 수 있습니다. 어느 날에는 이전과는 다른 나로 태어나고 싶기도 합니다. 애벌레가 나비로 '변태'하듯 말이지요. 시련을 넘어서면, 한 뼘 커버린 나와 마주하며 해사하게 웃곤 합니다. 사랑받아 마땅한 나에게는, 원하는 나로 변화시킬 힘이 있음을 믿으며 앞으로 나아가면 됩니다.

그러다 보면 살아온, 살아갈 모든 시간대에서 '좋을 나이'를 만난 내가 있음을 압니다. 영감을 통해 '나를 만나기로 회귀'하는 것도 방법입니다. 평행우주에서 내려다보듯, '더 작은 행복을 위해' 삶의 순간 순간을 꾸려가는 나를 응원해주세요.

- 공동저자 中 송수연, 오경애

차 례

더 작은 행복을 위하여

오경애

오경애

서울에서 출생하여, 서울대학교 간호학과를 졸업했다. 서울대학병원에서 간호사로 근무하다가 결혼후 육아문제로 퇴직을 하였다. 전업주부로 10여년을 보내다가 백화점 의무실 간호사로 재취업을 하여 17년간 근무했다. 현재는 남편과 여행과 운동을 취미로 삼으며 행복을 찾고 있다.

email: oh087491@naver.com

blog: 넘치는 끼를 어찌할고

1. 새벽 3시

새벽 3시. 알람이 울린다.

나는 남편이 깰까 봐 조심스레 몸을 일으켜 핸드폰을 들고 거실로 나온다.

지금부터 5시간, 우리 집에서는 오롯이 나 혼자만이 깨어 있다.

난 내가 하고 싶은 일과 행동을 훼방 받지 않는 이 시간이 참 좋다. 그래서인지 갈수록 기상 시각이 빨라진다. 처음에는 새벽 5시이던 기상 시각이 요즘엔 3시까지 당겨졌다.

3시에 안방에서 일어나 거실로 나오면 우선 핸드폰으로 이것저것을 탐색하다가, 약 40분 동안 아침 독서를 한다. 나이 때문인지 시력이 떨어져 활자를 키워 읽어야 하니 주로 전자책을 이용한다. 좋아하는 장르가 딱히 따로 있는 것은 아니다. 이 분야 저 분야 찾고 배우는 걸 좋아한다.

작년 말부터는 시오노 나나미의 〈로마인 이야기〉를 읽고 있다. 총 열다섯 권에 달하는 책이라 선뜻 시작하기가 쉽지 않아 미루고 미루다가, 이대로 가다가는 읽지 못하고 죽겠네 싶어 1권을 열었다. 진즉 읽었으면 좋았을 것을. 몇 년 전 로마에 갔을 때 그 많은 고전물을 이해하기가 수월했을 텐데 하는 아쉬움이 든다.

아 좋다.
이 새벽.

커피 내음과 함께 책을 들여다보고 있노라면, 더 이상 바랄 게 없는 그런 즐거움이 가득 찬다. 창밖으로 비치는 밤 풍경도 그 시각에 놓인 나를 더 풍요롭게 만든다. 드문드문 켜져 있는 옆 동 아파트의 불빛, 베란다 창 밑으로 내려다보이는 한가한 도로…….

독서를 마치면 외국어 공부를 시작한다. 중.고등 6년, 대학 4년까지 도합 10여 년을 공부해 왔지만, 나의 영어 실력은 여전히 형편없다. 가끔 가는 해외여행에서 짧게 입을 뗄 정도의, 걸음마 수준도 안 되는 회화만 가능하니 말이다. 1시간 반 정도 영어 공부를 하고 나면, 이제는 일본어 공부다. 일본에 몇 번 가 보니 그 어쭙잖은 영어조차도 통하지 않았다. 그래서 재작년 12월부터 일본어 공부를 시작했다. 영어와 달리 일본어는 학창 시절에도 배워 본 적이 없어 히라가나 가타카나부터 시작해야 했다. 그래서 1주일에 한 번씩 화상채팅으로 도움을 받으며 해나가고 있다. 아직까지는 일본어 공부가 너무 재미있다. 작년 11월에는 고베를 여행했는데 짧은 일본어 대화가 가능해서 여간 기쁘지 않았다. 오늘 아침은 일본어의 다양한 동사 구조와 시제를 공부했다. 다음번 일본 여행에서는 얼마만큼의 대화가 될지 사뭇 기대된다.

일본어 공부가 끝나 시계를 보면, 어느덧 일곱 시. 공부하는 데에 한 3시간 반 정도 걸린 셈이다. 그러고는 일기를 쓴다. 일기는 자기 전 하루 반성의 의미로 써야 하는 것인 줄로만 알았다. 하지만 잠이 쏟아지는 저녁 시간에는 그런 일을 하는 게 쉽지 않아 일기를 쓰지 못하고 있었다. 그러다 생각난 것이 새벽에 쓰는 '어제 일기'다. 하루에 한 가지, 행복한 순간을 적어 보자고 시작한 일기로 몇 년 되었다. 처음에는 한글로 썼는데, 2년 전부터는 간단하나마 일상에서 영어를 사용하고자 영어 일기를 쓰기 시작했다. 조금씩이지만 영어 실력이 느는 것 같아 뿌듯하기도 하다. 오늘도 어제의 행복한 한 가지를 영어로 적어 내려갔다. 몇 년 후, 오늘의 일기를 읽으면서 '참 이때 영어 못했었네.' 하고 웃고 있을 나를 떠올려보기도 한다.

생각해 보면, 어떤 일이든지 필요에 의한 일은 행하기도 수월하고 지속하기도 용이해지는 것 같다. 해외여행을 다니면서 외국어를 어느 정도 구사하는 것이 필요해 공부하다 보니, 보다 재미있고 더욱더 열심히 하게 된다.

이런 나 혼자만의 시간이 지나가면, 남편이 일어나 거실로 나와 그와의 하루가 시작된다.

남편은 6년 전 명예퇴직을 한 전직 교사다. 나의 남편 그는, 외부에서는 법 없이도 살 수 있는 젠틀한 신사라고 불리지만, 집에서는 진짜 보수적이고 가부장적인 남자다. 신혼 시절 그에게 파시스트라고 별명을 붙여줄 정도였다.

남편과 나는 은퇴 이후의 모든 삶을 공유한다 해도 과언이 아니다. 굉장히 많은 시간을 함께 보내고 있다. 그동안 나는 나만이 하는, 나 혼자만의 일을 주도적으로 하지 못한다. 남편은 갈수록 둘이 함께이길 바라고, 그가 하고자 하는 행동을 같이하기를 원한다. 물론 그런 그를 받아주는 내 문제일 수도 있겠다.

우리는 아침의 운동, 점심의 식사, 저녁의 취침까지 최근 출산한 딸아이의 아기를 오후에 봐주어 생기는 약 다섯 시간의 공백, 그리고 새벽의 몇 시간을 제외하고 거의 내내 함께한다. 스포츠를 좋아하는 그를 위해 그가 하는 운동도 같이 한다.

그러니까, 나만의 새벽 시간은 어찌 보면 유일한 '내 것'인 셈이다.

요사이 남편은, 가끔 잠이 잘 오지 않는다면서 네시, 다섯 시에 거실로 나오기도 한다. 그럴 때면 난 서둘러 작은 공부방으로 이동해 문을 반쯤 닫는다. 남편도 그런 나를 보다 다시 안방으로 들어가서 에둘러 잠을 청하는 걸 보면, 내 것이 되는 이 시간만큼은 그래도 지켜주려고 하는 것 같다.

그러고 보면 이상하다.

나의 시간에 대한 욕심을 한참 내려놓는 오후의 나와는 사뭇 다르게, 새벽의 나는 나만의 시간에 집착하고 있다. 침범을 받는 게 영 불편하다. 나 혼자만의 시간을 빼앗기고 싶지 않다. 나는 왜 이렇게 나만의 시간을 정해두고, 이것을 그토록 소중히 여기는 것일까? 오후의 나는 또 왜 그러질 못하고 그의 삶에 맞추고 있는 것일까?

2. 최고를 꿈꾸던 막내

난 1남 3녀의 막내딸로 태어났다.

우리 가족은 대가족이었다. 아버지는 2남의 맏아들이었다. 그 덕에 할머니와 삼촌, 형제들이 우리 집에서 같이 살았다. 할머니와 삼촌의 무한한 사랑을 받으며 자란 나의 유년 시절은 그저 세상의 모든 것이 내 것만 같았다. 어머니한테는 호랑이 시어머니였던 할머니도 나에겐 따뜻한 울타리가 되어 무한한 사랑을 주셨고, 말썽꾸러기였던 삼촌도 내게는 멋있고 더없이 훌륭한 젠틀맨이었다. 아, 집에 집안일을 도와주는 언니도 있었다. 이름이 '착한 언니'였던 언니는 나에게 최고의 친구가 되어주었다.

총각 시절 삼촌은 내게 조건 없는 예스맨이었다. 할머니는 여러 명의 자식을 낳았지만, 첫째였던 나의 아버지와 막내인 삼촌만이 살아남고 그 중간 자식들은 먼저 세상을 달리하셨다고 했다. 그래서 아버지와 삼촌은 무려 열여섯 살이나 차이가 났다. 어머니와 아버지의 나이 차이는 여덟 살. 갓 시집왔을 때, 다섯 살짜리 시동생이 생긴 것이다. 어머니는 이 나이 어린 시동생을 자기 첫째 아들인 양 키우셨다 했다. 삼촌이 머리가 크고 난 뒤 처음 생긴 조카가 나였을 테니, 내가 얼마나 귀여웠겠는가. 나는 나를 사랑해 주는 삼촌이 참 좋았다. 삼촌이 결혼하여 분가하게 되자, 분해서 엉엉 울기까지 했다. 아마도 나를 예뻐하던 누군가가 나보다 다른 사람을 더 좋아할 수도 있다는 것을 태어나 처음으로 느꼈던 때문 같다.

우리 아버지는 유순하고 가족을 많이 사랑하는 분이었다. 그 당시 여느 가부장적인 중년 남성들과는 달라도 너무 다른 사랑꾼이었다. 아버지 일을 여러모로 도왔던 엄마는 늘 바빴다. 그녀는 굉장히 외향적이고 활달했으니, 그러한 성격이 이를 뒷받침했을 것이다. 아버지는 자주 출장을 다니셨는데, 출장에서 돌아오시는 날이면 꼭 귤이나 호두과자를 챙겨 사 가지고 오셨다. 지금은 아주 흔한 음식이지만 그 당시에는 참 귀했다. 아직 우리나라에서 귤이 재배되지 않았던 터라 구하기 어려웠고, 천안에서만 파는 특산품인 호두과자도 진귀품에 속했다. 출장에서 돌아오는 날엔 난 아버지 무르팍에 앉아 아버지를 대신해 오빠, 언니들에게 그 음식을 나눠주곤 했다.

언제나 따뜻했던 부모님이지만 교육 방침에 있어서는 꽤 엄격하고 일관적이었다. 무조건적인 것도 없고 행동에는 항시 대가를 따지기도 하셨다. 자신이 사용한 물건은 언제나 본인이 치우게 하셨고, 교육열이 높았던 분들이라 성적에 신경을 많이 쓰셨다. 새로운 물건을 사 주실 때는 언제나 먼저 것을 다 소진한 후에야 새것을 사주시곤 하셨다. 다른 집보다 여유로웠음에도 말이다. 한번은 몇 페이지 쓰지도 않은 노트를 같은 반 친구의 거의 다 쓴 노트와 바꾸어 새것을 획득한 적도 있었다.

우리 형제들의 나이 차이는 제법 컸다. 오빠와 큰 언니만 2년 터울이고, 나와 오빠는 열두 살 차이, 작은 언니와 나는 4년 터울이다. 띠 동갑이었던 오빠는 나의 우상이었다. 오빠는 매사가 올바르고 상당히 공부를 잘했다. 나는 예의 바르고 효자였던 오빠를 닮고 싶었다. 남아 선호사상이 지배적이었던 시절여서인지 어머니는 오빠 바라기였고, 내 위의 두 언니에 관해서는 어머니 신경 밖의 일처럼 굴었다. 나 역시 두 언니와는 실상 그리 가까운 사이가 아니었다. 언니들끼리는 친했으나 나는 그녀들과는 여간해서 가까워지지가 않았다. 오빠는 장남이니 우리집의 기둥처럼 받들어졌고, 나 역시 오빠 못지않은 사랑을 받고 있었으니 언니 둘의 마음도 이해할 만하다. 어린 나는 독방을 썼지만, 언니 둘은 같은 방을 쓸 정도였으니 나에 대한 편애가 있었던 것이 맞는 듯하다.

나는 당시 모든 식구의 사랑을, 심지어 엄마의 사랑까지 독차지했다. 물론 막내라는 이점도 있었겠지만, 생각해 보면 나는 사랑을 받기 위해 내가 할 수 있는 일들을 열심히 찾아 했던 영악한 친구였다. 엄마가 집에 들어올 시간이 되면, 문 앞에서 대기하고 있었다. 저만치 엄마의 얼굴이 보이면, 뛰어가 "엄마"하고 그녀에게 안기며 오늘 받은 100점짜리 시험지를 들이밀었다. 엄마는 그런 나를 귀여워하며 칭찬을 듬

뿍 해줬다. 나는 엄마에게 혼날 일은 절대로 만들지 않고, 엄마를 실망시키지 않으려 최선을 다했다.

내가 어릴 적에는 줄넘기, 공기놀이, 땅따먹기, 고무줄놀이처럼 주로 집 밖에서 하는 놀이들이 많았다. 나는 그런 놀이보다는 집 안에서의 놀이를 더 즐겼다. 상당히 외향적인 성격이었는데도, 나는 집에서 노는 게 참 좋았다. 특히 친구들을 우리집에 불러 놀곤 했다. 아마 과시하고 싶었던 것 같다. 풍족한 우리집에는, 그리고 나에게는 다른 친구들에게 없던 온갖 좋은 물건들이 많았으니까. 친구들과의 놀이가 끝나면 나는 그들이 가는 게 싫어서 저녁까지 먹고 가게 하곤 했다. 엄마의 귀가가 늘 늦었으니, 친구들이 가고 나면 할머니와 착한 언니랑만 있어야 하는 긴 밤이 심심해서 그랬던 것 같다.

우리 엄마는 부동산에 밝았다. 국민학교 때 거의 2~3년에 한 번씩, 네 번이나 전학을 다녔다. 하지만 그 당시의 나는 이사가 싫지 않았다. 매번 더 좋은 집으로 이사를 했었으니까……. 새로운 학교에서는 비교적 적응이 빨라 친구들도 잘 사귀었고, 학교생활도 수월했었다. 가는 곳마다 환영받으며, 모든 것이 내가 생각하는 대로 흘러갔다.

어린 시절, 매해 4~5월만 되면 신문사별로 미술대회가 개최되었다. 나는 거의 모든 대회에 학교 대표로 나가 상을 휩쓸었다. 요즈음 같으면 그런 입상은 입시에 상당한 영향을 주었겠지만, 뭐 그 당시엔 그저 상장에 불과했다. 부상으로 학용품을 받았던 기억이 난다. 국민학교 전 학년 동안 그때 받은 공책과 연필만 써도 남을 정도였으니 아마도 내가 그림을 전공했으면 대가가 되지 않았을까? 그러니 나를 안 예뻐하고 배기겠는가.

'너 이다음에 무엇이 될래?' 하고 물으면, 나는 거침없이 '대통령 부인'이라고 대답하곤 했다. 그때 내가 생각했던 여자가 꿈꿀 수 있는 최고의 자리는 대통령 부인이라는 자리였으니까. 내 주변의 모든 것은 내가 최고를 꿈꿀 수 있는 환경이었고, 나는 열심히 그렇게 되고자 노력했던 것 같다. 하지만 인생은 생각대로, 꿈꾸는 대로만 흘러가지는 않았다.

3. 특이한 사춘기 소녀

오빠와 큰 언니는 대학생과 사회인이 되고, 나는 중학교 2학년이 되었다. 그해 여름, 우리나라에는 몇십 년 만에 기록적인 대홍수가 났다. 당시 우리 부모님은 모든 재산을 한곳에 몰아넣어 큰 이득을 보고자 배를 한 척 샀었다. 물난리로 말미암아 인천 앞바다에 정박해 두었던 우리 배는 어디로 갔는지 찾을 수가 없었고, 이 사건 이후 부모님은 하던 모든 사업을 그만두어야 했다.

이후 아버지는 집에만 계셨고, 엄마가 바깥일을 전담하기 시작했다. 그즈음, 같이 살았던 우리 할머니도 작은 집으로 옮겨 가셨고, 착한 언니도 시집을 가서 집이 텅 비어있었다. 나는 아버지가 실패해서 솔직히 좋았다. 비어있는 집에는 이제 아버지가 늘 계셨다. 학교에서 집으로 돌아온 이후부터 다른 식구들이 귀가하기까지 난 아버지와 둘이서만 즐거운 시간을 보냈다.

비록 아프신 몸이긴 해도 항시 아버지는 웃는 얼굴로 나를 맞이해주었고, 학교에서의 생활도 물어봐 주시며 내게 활력을 불어넣어 주었다. 나를 보살펴주는 아버지에게 내가 힘이 될 수 있다는 것만으로도 그 시절 나는 마냥 행복했다. 아버지와 TV를 같이 보며 야구를 알게 되었고, 그와 같이 봤던 드라마도 인상적이었고, 가끔 내가 해 주는 음식을 맛있게 먹는 그를 보며 어린 나는 좋았다.

그때의 그 1년이 너무 소중해서, 아버지가 돌아가신 지 50여 년이 지난 지금에도 나는 가끔씩 그때의 추억에 젖곤 한다. 아직도 아버지가 어디에선가 살아있는 것 같기도 하여 '경애야' 부르며 내게 달려오는 상상을 한다. 간혹 꿈에라도 아버지가 나오는 날이면, 진짜로 어디에선가 아버지가 다가와 나를 업어주실 것만 같다.

상황이 점점 안 좋아지면서 우리 가족은 더 이상 그 집에서 살지 못하고 다른 집으로 이사를 했다. 물론 훨씬 안 좋은 곳으로……. 이즈음 큰언니가 결혼했다. 오빠도 대학 졸업, 군대 제대 이후 사회인이 되었고, 미술학도를 꿈꾸던 작은 언니는 디자이너의 길로 들어섰다. 그리고 이사한 지 한 달도 못 되어 아버지는 돌아가셨다.

돌아가시기 직전에 살던 그 집은, 작기는 하지만 봄이면 라일락과 온갖 꽃내음으로 물드는 집이었는데. 아버지는 꽃향기 한번 맡지 못하고 돌아가셨다. 나는 그때 중학교 3학년이었고, 얼마 안 있으면 졸업이었다. 하지만 나는 고집을 피워 새로 이사한 곳 주변의 학교로 전학했다. 이전과는 달라진, 그러니까 아버지와 형제들이 없고 집도 볼품없어진, 바뀐 나의 환경을 남들에게 보이고 싶지 않았다.

이맘때 엄마는 작은 집으로 가 계시던 할머니를 모시고 왔다. 작은집에서 무슨 일이 있었는지, 아니면 아들을 앞세운 탓인지 할머니는 많이 쇠약해져 있었다. 그때 나는 고등학교에 입학하던 해였는데, 입학하기 전인지라 하루 종일 집에 있었다. 함께 살던 엄마와 오빠는 직장에 나가니 낮에는 할머니와 나 둘뿐이었다. 그러다 보니 낮 시간 동안 할머니가 삶과 죽음 사이 사투를 벌이는 것을 온전히 혼자 봐야 했다. 그렇게 아버지가 돌아가시고 딱 1년 만에, 그리고 우리 집에 오신 지 한 달 만에, 할머니는 돌아가셨다. 중 3과 고 1, 불과 2년 사이, 나는 나를 가장 사랑해 주었던 두 명을 잃은 셈이었다.

심리적으로 가장 중요한 시기에 가까운 사람들의 죽음은 내 생각 체계를 많이 바꿔놨다. 매사 낙천적이고 자신만만하던 나는, 다소 부정적인 혼자만의 세계로 이끌려 갔다. 삶이 도대체 무엇인지, 어째서 우리는 살아가야 하는지 심오한 생각들을 지속했다. 이유 없는 방황이 시작됐고, 선생님들의 걱정스러운 눈초리는 외려 나를 더욱더 비뚤게 만들었다. 따지기 잘하고, 남의 허점을 들춰 내기 바빴으며, 학교생활도 싫어 조퇴를 자주 하다 보니 각종 대회를 휩쓸던 모범생은 급기야 문제아로 변모했다.

하지만 엄마는 나를 기다려주었다. 총기 어렸던 딸이 초점 없이 외길로 걷고 있으니 속이 엄청나게 탔을 텐데도, 그녀는 묵묵히 그녀의 일을 하며 내게는 아무 말도 하지 않았다. 1학년 말, 담임 선생님은 엄마를 학교로 불렀다. 아마도 이때 엄마는 내게 일어난 심각한 변화를 알게 되었을 것이다. 학교에서 상담을 마치고 나오면서, 엄마는 나에게 “너 힘들구나?”라고 하셨다. 차라리 “너 왜 그러냐?”고 다그치셨다면 마음이라도 덜 불편했을 텐데……. 엄마는 더 이상 나에게 아무 말도 하지 않았다.

그녀의 그런 기다림 덕분인지 적어도 학교생활을 하던 나는 이전의 나로 점차 돌아갈 수 있었다. 저렇게 열심히 살고 계시는 엄마를 더 이상 실망하게 하지 말자는 생각이 들고, 나의 우상인 오빠한테도 이전의 예쁜 막내로 돌아가야겠다는 생각도 일었다. 고등학교 2학년부터는 학교 성적도 점차로 안정되어 갔고, 친구들과의 관계도 원만해져 갔다. 아마 엄마가 나를 다그치기라도 했다면 나는 반항만 일삼다가 한참 부족한 어른이 되었을지도 모르겠다.

그렇게 짧은 시절은 가고, 밝고 명랑하며 공부까지 잘하는 모범생인 나로 돌아오게 되었다. 하지만 한편에는 사춘기 소녀의 심성이 남아 있었나 보다. 사회인인 오빠가 읽던, 이해하기도 힘든 어려운 책을 들여다보며 낑낑댄 적도 있고, 그냥 멍때리며 창밖만 하염없이 보기도 했었으니.

10여 년 전 동창 남편의 장례식에서 고교 시절 이후 처음 만나게 된 고등학교 동창이 그때의 나를 이야기하기를, “참 특이한 애구나 생각했어. 다들 먹고 살기 힘들어 생계를 걱정해야 했던 시기인데, 학교 와서 인생이 어쩌고, 삶이 어쩌고 이야기를 하니…….” 라는 걸 보면 아마도 완전히 돌아온 건 아니었던 건지도 모르겠다. 하기사 어린 날에 사랑하는 사람을 잃는 일은 트라우마가 남을만한 큰 사건들이긴 하다.

그러고 보면 이때쯤 이상한 습관이 하나 생겼었는데, 하교 이후 저녁을 먹고 난 뒤 바로 잠에 드는 것이었다. 한참 자다 밤 12시 넘어서 일어나고 보면, 깜깜한 밖의 풍경을 보며 생각도 행동도 자유로운 시간이 나를 찾아왔다. 당시 우리 집은 5층짜리 아파트의 4층이었다. 창밖으로 보이는 어두운 밤 풍경은 사춘기 소녀를 책 속으로 불러들이기에 충분했다. 12시부터 4시까지 공부를 하거나 독서를 하고 잠시 눈 붙이다 학교를 가곤 했다.

이런 습관은 급기야 예비고사 전날(그 당시엔 수학능력 시험과 비슷한 시험이 예비고사였다) 밤을 꼬박 새워 책을 읽고 시험장에 가는 불상사를 저지르게 만들었다. 왜 그때 책을 읽었는지는 잘 모르겠다. 그것도 그때 읽은 책이 투르게네프의 '가난한 연인들'이었는데, 내용도 전혀 모르고 그냥 밤새도록 책장만 넘긴 것이었다. 일종의 객기(?)였을까? 그로 인해 나는 시험 당일 영어시험 시간에 너무 졸려 풀다가 잠이 들었다. 시험 결과야 뻔하지 않았겠는가?

4. 탈퇴한 연극반의 히로인

만족할 만한 점수가 나오지 않아 나는 재수를 했다. 재수 때에는 과에 상관없이 무조건 서울대에 가야 한다는 오빠의 권유가 이어졌다.

당시 대학입시에는 본고사가 있었는데 문.이과 구별 없이 지원할 수 있었고, 다만 이과는 주로 수학2를 보았다. 게 중 간호학과와 몇몇 학과는 수학 1을 보았기 때문에, 문과였던 나는 간호학과를 지원했다.

막내딸이 서울대에 입학하고 나니, 집안의 분위기가 바뀌었다. 그 전까지 모임을 자제하던 엄마도 모임에 다시 나가기 시작했다. 내가 엄마에게 자긍심의 원천이 될 수 있다는 생각이 들자, 대학 생활에 자신이 붙었다. 뭐든 다 할 수 있을 것 같았다.

대학에 입학하면 하고 싶은 것이 많았는데, 그중 하나가 연극이었다. 자신감이 넘쳤던 나는 같은 과 친구와 의대 연극반(간호학과는 그 당시 의과대학에 속해 있었다)에 가입했다. 학생 연극은 기성 연극과 달리 방과 후에 연습이 이루어지기에, 연극반에서의 1학기 생활은 사실 학업 외 모든 시간이 소모되는 것이나 진배없었다. 특히 이때 간호학과 학생들은 1학년 때 관악 캠퍼스에서 교양수업을 받고, 2학년부터는 혜화동에서 전공 및 실습수업을 받았었다. 나는 수업이 없는 날에는 오전부터 혜화동 동아리방에 가 있었고, 수업이 있는 날엔 관악에서 수업을 마치고 혜화동까지 넘어가곤 했다. 하루 종일 연극을 생각했다.

어렸을 때부터 끼가 많다는 이야기를 들어왔던 나는, 입학하던 학기에 당당히 여자 주인공을 꿰찼다. 공연에 올려질 연극 제목은 안톤 체홉의 '벚꽃 동산'. 하지만 학예회에서 재롱떠는 정도로는 정통 연극에 한참 못 미쳤나 보다. 살면서 들어온 꾸지람은 이때 연출 오빠에게서 다 들었던 것 같다. 여하튼 연극반 생활을 통해 대학 생활의 참맛을 알게 된 나는 매일 혼나면서도 즐겁고 보람찼다.

그러던 중 기막힌 사건이 일어났다. 주인공인 나는 일요일에도 일찍부터 남자 주인공과의 호흡을 맞추기 위해 동아리에 나와 있었다. 당시 아직 오지 않은 나머지 단원들을 기다리기 위해 운동장에 있는 농구대로 이동을 한 몇몇이 농구를 시작했다. 여자 단원은 나 혼자였던 것 같다. 농구장 밖에서 구경하고 있는데 갑자기 흔들거리던 농구대가 앞으로 쓰러져 농구대 바로 앞에서 슛을 하던 조연출 오빠의 몸을 덮쳤다. 조연출 오빠의 몸은 농구대에 깔렸고, 곧바로 몇몇 남자애들이 응급실로 그를 이동시켰다. 정말 순식간에 일어난 일이었다. 응급실에 도착한 우리들은 다급해하는 응급실 직원들을 보며 그제야 일의 심각성을 알았다. 그리고 1시간 만에 그는 사망했다. 장파열로 인한 출혈이라는데, 일요일이라 전문의도 없어서 치료가 늦어졌던 모양이었다. 당시 이 사건은 신문에도 보도가 될 정도로 이슈가 되었다.

조연출 오빠의 죽음은 나에게 엄청난 충격을 주었다. 이후 약 한 달 동안 나는 연습에 나갈 수가 없었다. 동아리에 나가면 조연출 오빠의 얼굴이 오버랩되어 리딩을 할 수도, 라인을 설정할 수도 없었다.

그렇게, 많은 방황이 다시 내게 찾아왔다.

조연출 오빠는 나의 남자 친구도 아니었고, 죽기 전까지 그리 친하지도 않았다. 하지만 바로 내 눈앞에서 농구대가 쓰러지고 그를 덮치던 풍광이 자꾸 내 눈에 어른거려 다른 어떤 것도 할 수가 없었다. 수업 후에는 무작정 종로 거리나 서울역을 헤매며 사람들을 쳐다보곤 했다. 어떤 날은 아무 버스나 타고 종점에서 종점까지 간 적도 있었다.

그렇게 한 달이 지났다. 누가 시간이 약이라고 했던가? 시간이 지나니 어느덧 나의 마음도 차츰 안정이 되어 갔고, 여주인공이라 더 이상 연극 연습을 지체할 수가 없었다. 막이 오르기까지 이제 2달밖에 안 남았다. 연출 오빠의 성화에 못 이겨 난 다시 연습에 나가기 시작했다.

동아리방에는 더 이상 조연출 오빠가 없었다. 잔상조차 남아 있지 않았다.

다시 연습에 참여한 첫날, 나의 연기를 보던 연출 오빠는 갑자기 환호성을 질렀다.

"경애야, 너 이제 트였어! 완전히 트였다고!"

나는 몰라보게 달라져 뭔가에 씐 사람처럼 연기하게 되었다. 연습 때마다 극찬받았고 마지막 리허설 때에는 모든 선배 앞에서 기립박수를 받았다. 막이 올라갔고, 이틀 동안 2회의 공연을 했다. 여주인공으로써 나는 모든 이에게 큰 칭찬을 받고 공연은 성공적으로 막을 내렸다.

공연 후 쫑파티, 나는 이유 없이 엉엉 울고 말았다.

그러고는 연극반을 탈퇴하였다.

5. 몽마르뜨언덕의 비애

그렇게 1학기가 끝나고 여름방학이 되었다. 서슬 퍼런 유신 정권 시절이었다. 대학생들은 매일같이 데모했다. 꽃향기가 가득해야 하는 학내 동산에는 최루탄 냄새가 진동했고, 강의실 뒷편에는 나이가 지긋하고 눈빛이 매서운 아저씨들이 앉아 있었다. 수업이 끝나고 한껏 움츠리고 걸어가던 복도에서는, 아까 그 아저씨들이 피투성이가 된 학생들을 질질 끌고 나갔다.

그러다 남편을 만났다. 남편은 국민학교 동창이었다. 남편과 같이 다니던 국민학교는 세 번째 국민학교였다. 당연히 그때는 그의 존재조차 몰랐다.

대학 입학 후 그때의 국민학교 동창 몇몇이 문학 써클을 만들자고 연락을 해왔다. 회색빛의 대학 생활에 질렸던 나는 호기심에 모임에 나가기 시작했다. 동창이라고 하지만 사실 낯선 아이들 사이에서, 나는 새침한 얼굴로 앉아 있었다.

"야!"

어깨에 툭. 아무도 나에게 감히 인사를 건네지 못했었는데! 어라, 이 남자아이는 뭐지?

"네가 오경애니?"

그의 첫마디였다. 까무잡잡한 얼굴에 윤기 나는 검은 단발머리.

그날 나를 그곳으로 데리고 간 친구가, 내게 그에 대해 이야기해 주었다.

“저 애, 데모하다 걸려 경찰서에 갔다가 1주일 만에 나왔대.”

아,

나랑은 너무 다른 아이구나.

복도에서 뒷덜미를 잡혀 축 늘어졌던 선배들이 생각났다.

저 아이도 그런 경험이 있을까. 어떤 아일까. 무엇 때문에 그런 선택을 했을까.

우리들은 10명 정도로 모임을 시작했다. 남자아이는 그때 모임의 회장을 맡았다. 우리는 1970, 80년 당시 꿈과 예술의 거리였던 혜화동 거리에서 모임을 가졌는데, 자주 모였던 모임 장소는 종로 5가의 기독교 회관이었다. 얼마 전 그 근처를 가보니 알아볼 수 없게, 모든 곳이 변해 있어 마음이 이상했다. 처음에는 한 달에 한 번 모였으나, 나중에는 정부에서 대학생들이 모임 자체를 하지 못하게 하여, 회관에서는 차마 모일 수가 없었다. 그때부터는 친구들 집을 전전하며 모임을 계속했다.

2학기가 시작되면서 학생들의 데모는 더욱 격렬해졌고, 캠퍼스는 최루탄 냄새와 연기로 앞을 볼 수가 없는 지경이 되었다. 길거리에 나돌아 다니기가 너무 무서운 상황이라, 수업을 마치면 거의 집으로 바로 가야 하는 형국이었다. 희뿌연 최루탄 후유증인지 사실, 이때 나는 무슨 생각을 하며 살았는지 기억이 없다. 좋아야만 한다는 대학 1학년 때인데도 말이다.

그리고 10.26사태가 일어났다. 대통령이 죽고 이후 모든 대학교에 휴교령이 내려졌다. 관악에서의 1학년 생활을 송두리째 빼앗겼다. 거리에 나갈 때면 가방을 열어 보여야 짐을 다 점검 당하고, 휴교령 때문에 학교도 찾아갈 수 없으니 외출도 거의 하지 못했다. 그리고 그해 겨울, 1979년 12월 12일, 새벽. 아직도 기억이 생생하다. 대포 소리와 폭탄 터지는 굉음이 이어졌다. 나는 당시 잠실의 고층 아파트에서 살았는데, 솔직히 전쟁이 난 줄 알았다. 한강 저편에서 번쩍번쩍 폭탄이 터지고 총소리가 나고……. 자고 계시던 엄마를 깨워 꼬옥 껴안고 오돌오돌 떨었던 기억이 난다. 흉흉한 세월이었다.

혹한에도 꽃은 피고, 어려운 시절에도 인간은 적응을 한다 했던가. 아이러니하게도 나는 이때 국민학교 친구들과의 모임으로 문학 서적을 다양하게, 많이 읽을 수 있어 좋았다. 무엇을 읽었었는지 구체적으로 기억이 나진 않지만, 한 달에 1, 2번 정도 모일 때마다 책을 읽고 감상을 이야기하는 형식으로 모임은 계속되었다.

그리고, 그때부터였다.
남자아이가, 그러니까 지금의 남편이 눈에 들어오기 시작한 것은.

남편은 지금도 그렇지만, 그때에는 정말 멋졌다. 특히 외모가 진하게 잘생겨서는, 찰랑거리는 생머리 때문인지 유독 눈에 띄었다. 어려운 책들을 단번에 정리하고 비판적인 시야로 책을 두껍게 읽어내는 뛰어난 학식이 돋보였다. 모임을 주도하는 리더십에 매사 자신감 넘치는 행동. 심지어 전공도 내가 좋아하는 사학인지라 아우라가 다른 느낌이었다.

무엇보다 그는, 나에 대해 호감이 있었다. 느낌으로 알아챌 수가 있었다. 가끔씩 눈길이 머무르고 가는 것이 느껴졌고, 괜히 친근한 척하며 슬쩍 터치하는 손에 떨림도 있었다. 뭐 나 역시 상당히 박식하고 말도 잘했으니, 좋아할 만도 했을 것이다.

그러던 그가, 12월 말, 추운 겨울 갑자기 군대에 갔다. 입대 전 마지막 모임 뒤풀이에서 어느 한 친구가 이야기하길, 갑자기 경찰이 들이닥쳐 잡혀갔는데 당시 운동을 주동했던 선배의 거취를 물었다고 한다. 이에 그의 아버지가 아들을 풀어달라고, 풀어주면 바로 입대시키겠다고 약속을 했다고. 그는 그렇게 군대에 끌려갔던 것이었다.

그는 자대에 배치받고 나서 내게 편지를 보내왔다. 군대에 가면 으레 허전해서 아무한테나 편지 보낸다고 하더니 그런 건가? 싶었지만, 꾹꾹 눌러쓴 내용이 안타깝기도 했다. 데모를 하던 사람이 경찰에서 풀려난 조건으로 끌려갔으니 군 생활이 순탄치는 않았을 것이다.

그러니까 절반은 동정? 약간의 호기심으로, 나는 그 애 면회를 하러 갔다.

면회 온 나를 보자마자 지은 그의 표정이 아직도 잊히지 않는다. 그는 와준 것만으로 너무 큰 위로가 된다며, 꼭 다시 와달라고 신신당부를 했다. 오죽하면 그럴까 싶어서 또 한 번 면회를 갔다. 그게 세 번이 되고, 네 번이 되고……. 그러더니 자연스럽게 그가 남자로 보이기 시작했고, 그 역시 나에 대한 감정이 계속해서 커졌다. 첫 휴가 때, 그는 내가 있어 어려운 군 생활을 버티고 있다며, 우리 한번 만나보지 않겠냐고 고백을 해 왔다.

하지만, 어렵게 시작된 우리의 연애는 얼마 가지 못했다. 엄마의 반대로 연애를 지속할 수가 없었기 때문이다. 엄마의 마음에 그는 나에게 적합한 연애 상대가 아니었다. 자기 딸이 최고라고 생각하고 있는 그녀는, 그녀가 생각하는 사윗감의 조건에 전혀 부합되는 점이 없었던 동갑내기 남자아이, 심지어 군 생활을 이제 갓 시작한 그가 마뜩지 않았다. 연애한다고 다 결혼하는 것은 아니라지만, 그 시기엔 상당히 민감한 문제였다. 엄마는 맏아들에 대한 거부감이 심했고, 동갑내기는 자신의 딸을 감당하기 어렵다고 판단한 것 같다. 엄마는 딸의 성품을 잘 알았다. 무조건 받아주고 예뻐해 주고 능력 있는 사윗감을 원했다. 그런 데다가 그의 전공이 사학이라는 것 또한 그녀에게는 걸렸던 모양이다. 최고를, 영부인을 꿈꿨던 당신의 딸이 미래가 보장되지 않았던 남자를 만난다니! 상상하고 싶지도 않았단다. 그리고, 20대 초반인 그때의 나에게는 엄마나 오빠의 반대를 무릅쓰고 그와의 만남을 이어나갈 자신이 없었다.

살면서 엄마에게 거역한 적이 없던 나는 결국 헤어지기로 마음먹고 이별을 통보했다. 고무신을 거꾸로 신었다고 해야 하나. 군인이었던 그는 나의 이러한 변심을 받아들이기 어려워했다. 나중에 우리 아들의 이야기를 들어보니, 그때나 지금이나 남자들은 군대에 가면 극히 단순해진다고 한다. 그래서인지 그는 싫다고 하는 나에게 계속 편지를 보내며 구애했다. 별 마음 없는 사람이 좋다고 하면 더 싫어지는 것인지, 나는 그가 그럴수록 그가 질리기 시작했다.

마음이 남아있던 남편은 나를 만나러 우리 학교에 찾아오기까지 했다. 그는 부대 내 인사과 소속이었는데, 위에 사정 사정을 해서 외출 허가를 받았던 것 같다. 당시 우리 학교에는 간호대학에서 정문으로 나서는 중간에 작은 고갯길이 있었는데, 우리는 그 고개를 몽마르뜨의 언덕이라고 불렀다. 비가 추적추적 오던 그날, 그는 몽마르뜨언덕에서 진을 치고 서 있었다. 군복을 입고 우산도 쓰지 않은 채. 그가 나를 집요하게 기다리고 있다는 이야기를 들은 나는 그를 피해 다른 길로 귀가했고, 그는 당시 언덕길을 내려가는 나의 친구를 붙잡고 다방에 가서 한참을 하소연하고 귀대했다.

다음날 만난 그 친구가 말하길, "야, 나 무서워 죽는 줄 알았다. 그래서 저쪽 한편에 내 남자 친구보고 앉아 있으라고 했어! 근데 그 애가 너를 너무 사랑했다더라. 그리고 앞으로도 너만큼 사랑하는 여자는 없을 거라더라고."라 했다. 남편은 이 에피소드를 '몽마르뜨언덕의 비애'라며, 정말 그때 몸도 마음도 추웠다고 술회하곤 한다.

그의 감정은 충분히 알았지만, 아빠가 없는 집에서 엄마와 오빠의 생각은 나에게 법과 같았고, 이미 나의 마음은 결정 나 있었다. 그에 대한 미련은 남아 있지 않았다. 나는 몽마르뜨언덕까지 찾아온 그가 무서웠고, 전해준 이야기를 듣고도 딱히 마음이 동요하지 않았다. 그리고 그도 이 사건 이후 마음을 정한 모양이었다. 얼마 후 집에 배달된 그의 편지가 말해 주었다.

6. 남편과의 재회, 그리고 약혼

시간이 얼추 지나 4학년 여름방학이 되었다. 나는 그동안 엄마가 소개하는 남자들과 몇 차례 맞선도 보고 했지만 영 나의 짝은 없는 것 같았다. 그러던 7월 말, 국민학교 동창끼리 산정호수로 엠티를 간다며 같이 가자고 친구한테 연락이 왔다.

한참 고민하던 끝에 나는 그 모임에 나가기로 했고, 다시 나간 그 모임에서 막 제대한 나의 남편과 만나게 되었다. 숨 막힐 정도로 어색한 가운데 엠티는 계속 진행되었고, 우리는 처음에는 서로 모른 척을 하다가 조금씩 말을 트기 시작했다. 저녁 식사가 끝난 뒤, 엠티의 꽃이라는 게임이 이어졌다. 그리고 하필, 게임에서 나와 남편이 지게 되었다. 벌칙은 가게에 가서 모자라는 식료품을 사 오는 것이었고, 어쩔 수 없이 그와 단둘이 밤길을 걸어 물건을 사 오게 되었다.

전등도 없는 깜깜한 시골 밤길을 달빛에만 의존한 채 걷기란 여간 힘든 게 아니었다. 그는 힐끔힐끔 계속 보면서 돌에 걸려 넘어질 뻔한 나를 부축해 주곤 했다. 어느샌가 나는 그의 도움을 받아 밤길을 걷고 있었다. 가게에 도착한 뒤 물건을 사고 돌아오는 길에, 그는 그간 본인의 힘들었던 부분을 이야기하기 시작했다. 그러고는 잠시 주저하다, 마지막에 덧붙여 말했다.

"너를 진정으로 사랑했어. 그리고 아직도 너를 사랑하고 있고……. 혹시 내가 다른 누구와 결혼할 수도 있겠지. 하지만 너만큼 사랑하는 여자는 없을 거야."

달빛이 우리를 비추고 있었고, 그의 눈은 나를 향해 초롱초롱 빛나고 있었다.

몽마르뜨언덕에서는 코웃음을 쳤던 이 말이, 이번에는 어찌나 나의 가슴을 파고들었는지, 나는 그날 밤 내내 울었다. 그때까지 그에 대한 감정이 말끔히 정리되었다고 생각했는데 마음 한켠에 아직 그가 있었나 보다.

다음날 집으로 돌아오는 버스, 그는 용기를 내어 내 옆자리에 앉았다. 나는 다시 눈물이 나기 시작했다.

진짜 이렇게까지 나를 사랑하는 남자가 또 있을까? 나를 이렇게 좋아한다는데, 내가 뭐라고 이 남자의 순정을 짓밟는 것일까? 그리고, 나의 마음은 정말 아무렇지 않은 걸까?

그리고는 그만

그에게 나의 여린 마음을 고백하고야 말았다.

미안하다고.

그렇게, 우린 다시 만나기 시작했다.

그는 학교에 2학년으로 복학했고, 나는 4학년 2학기가 되어 우리 둘에게 중요한 시기가 되었다. 지금 생각해 보면, 그때의 한 학기가 우리의 진짜 황금 연애 기간이었던 것 같다. 캠퍼스도 가까이 붙어 있어서 난 그의 학교 도서관에 자주 가서 공부했고, 공부가 끝나면 그는 나를 집에 바래다주었다. 그와 같이 집 앞까지 오면 헤어지기 싫어, 전철역까지 다시 그를 바래다주곤 하였다. 우리 아빠나 오빠같이 그도 나를 그저 예뻐해 주고, 내 말이라면 뭐든지 해주고 싶어 하는 그런 남자인 것 같았다. 이때는 그냥 마냥 행복하고 좋았다.

본교 출신의 간호사를 우선하는 서울대학병원이 있어, 나는 졸업 이전에도 이미 취업이 보장되어 있었다. 모든 것은 순리대로 잘 흘러가는 것 같았는데, 갑자기 엄마가 나를 불러서 이야기를 하자고 하셨다.

"너 혹시 그 애 다시 만나니?"

나는 엄마가 다시 반대할까 무서워 엄마에게 그와 다시 연애하기 시작했다는 것을 말하지 않았었다. 그런데 어찌 아시고 엄마는 나에게 그와 다시 헤어지라 말씀하셨다.

"만나지 말아라."

"엄마. 나 그 애가 너무 좋아. 그리고 엄마가 생각하는 것처럼 그 애가 능력이 없는 것도 아니고. 그 애가 크게 될지 어찌 알아."

"지금은 아니잖아? 너는 너만을 보듬어 주고, 네 말이라면 다 오케이 해주는 그런 사람을 만나야 돼. 그리고 동갑은 너를 감당할 수 없어. 안돼."

엄마는 생각 이상으로 더 완강하였다. 우리는 며칠 내내 지지부진

한 싸움을 계속했다. 엄마는 처음으로 당신의 뜻에 저항하는 막내딸의 모습에 크게 놀라신 것 같았다. 보다 못한 오빠가 중재에 나섰고, 결국 자식을 이기지 못한 엄마는 두 손 두 발을 들었다. 우리의 연애를 인정하게 된 엄마는 나의 졸업과 동시에 약혼식을 올리도록 하였다.

지금 생각해 보면, 뱉은 말은 지켜야 하는 성격의 엄마는 허락하긴 했지만 뭔가를 약속해 놓지 않으면 본인의 마음이 변할까 싶어 약혼을 시킨 것 같다. 졸업 무렵, 엄마의 친구들이 계속 맞선을 요구했던 것도 그 이유 중의 하나였다. 당시 우리나라는 아메리칸드림에 몸살을 앓던 때였으니, 간호학도인 나는 유학을 꿈꾸는 사람에게는 좋은 배우자감이었던 것이다. 남들 부럽지 않게 성대한 약혼식 속에서 온갖 유혹에도 딸과의 약속을 지키고, 딸의 선택을 존중해주려는 엄마의 마음이 느껴졌다.

졸업 이후 나는 병원 생활을 시작했다. 실습 때부터 원했던 정신과에 배정받아, 금세 적응하며 잘 지낼 수 있었다. 실습 당시 환자들과 연극을 하며 그들을 이해하려 애쓴 내 모습을 좋게 본 수간호사 덕분이었다. 내가 원하던 영역에서 나의 전문성을 발휘하며 당시로서는 큰 돈을 버는 사회인이 된 나의 의식은 차츰 변화하기 시작했다. 여유롭고 건강하며 안정된 사회인 남자들을 보며, 나의 남편도 그런 모습으로 나를 대해주기를 알게 모르게 바라게 된 것이다.

이러한 나를 바라보던 나의 약혼남, 그는 여전히 학생 신분인 자신과 사회인으로서 커리어를 쌓아가는 나를 비교하며 불안했나 보다. 그는 자신감 넘치고 활달한 나를 제지하려 들기 시작했다. 무조건적으로 나를 예뻐해줄 것이라 생각했던 그는 내게 너 변했다며 다그쳤고, 나는 너야말로 변해가고 있다고 완강하게 반박했다. 점점 다툼의 시간이 늘어갔다.

그의 말대로 내가 변했는지도 모르겠다. 이미 세속적인 사람이 되어버리면서 솔직히 속으로 계산기를 두드릴 때도 있었다. 하지만 그보다 나는 그의 변화를 견딜 수가 없었다. 그때의 그는 마냥 나를 이해하고 격려해 주는, 나만을 공주처럼 위해주던 사람 같지 않았다. 차츰 그와의 생활에 자신이 없어져 갔다. 나는 나를 너무나 사랑하는 존재였고, 그에게 모든 것을 맞추며 살아갈 수 있을지 판단이 서질 않았다.

하지만 나는 우리가 헤어지는 결론을 내릴 수는 없었다. 그를 그만큼 사랑하기도 했지만, 나는 실패한 사람이 되고 싶지 않았다.

"네 인생이니까, 네가 책임져야 하는거야. 엄마는 분명히 안 된다고 했는데, 네가 우겼으니, 잘 살고 못 사는것은 네 몫이니 엄마를 원망하지 마라"

그와 다시 만나기로 했을 때, 엄마는 나에게 네 선택은 네 책임이라 완강하게 말했다. 엄마의 이 말은 나의 모든 결정에 있어 상당한 압박으로 작용했다. 어떠한 상황에서도 나는 엄마한테 푸념을 떨 수도 그에 대한 험담을 할 수도 없었다. 모든 것은 내 판단이고, 내 책임이었다. 그와 헤어지는 것은 그때의 내 선택이 잘못되었다는 것을 인정하는 것이었고, 나의 판단이 잘못되었다고 인정하는 것은 마치 내가 실패한 사람이 되는 것만 같았다. 태어나서 처음으로 엄마의 뜻을 거스르고 그와의 연애를 선택한, 매사 자신감이 넘치고 최고를 꿈꾸던, 그런 나는 실패자가 되어서는 안 됐다.

나는 그렇게, 그와의 미래를 최종적으로 선택하게 되었다.

7. 결혼, 삶의 모든 것이 변화했다

약혼 후, 1년 8개월 만에 결혼식을 올렸다.

결혼식을 준비하는 과정에서 조금의 잡음은 있었지만, 결혼식과 신혼여행까지는 남편과 나, 둘 다 행복한 미래를 구상하며 마냥 들떠 있었다.

하지만 신혼여행에서 돌아온 직후 마주한 결혼생활은 우리의 생각과는 너무도 달랐다. 분가가 어려워지며 시댁과 함께 시작한 시집살이는 생각했던 것보다 훨씬 힘들었다. 장성한 시동생 둘과 시부모와 함께하는 생활 중 우리 부부만의 공간은 없었다. 병원에서 근무한 뒤 집에 오면, 지친 몸을 이끌고 주방으로 들어가 식사 준비를 해야 했다. 식구 모두와 같이 식사를 마치면, 다들 거실에서 앉아 있고 나만 설거지해야 했다. 그리고는 새벽에 출근해야 하니, 미리 아침 준비를 해 두어야 했다. 모든 걸 마치고 방으로 들어오면 이미 자야 할 시간이 넘었다. 남편과 오손도손 하루의 일과를 이야기하기엔 너무 지친 몸이었다.

가끔씩 근무 후 집에 오면 도서관에 갔다 돌아오던 중의 남편이 나와 나를 반겨주고, 같이 식사도 하고 좋을 때도 있었다. 그러나 그런 것은 시집 식구가 외출한 사이에만 가능했다. 혹여 조그마한 실수라도 할 때면, 시어머니는 나를 토닥거려주시기보다는 크게 호통을 치셨다. 시어머니는 나의 엄마와 너무 달랐다. 대화 한번 맘 편히 못 했던 남편도 의지가 되지 않았다. 시어머니와 시동생들이 집에 있을 때면 그는 그저 그들의 맏아들이고 형이 되어야 했다.

첫 아이 임신을 하고 나서는 더 힘들었다. 입덧이 심해 어떠한 음식도 가까이할 수조차 없었는데, 가끔 시어머니가 간을 보라며 들이미는 간장 냄새가 진짜 싫었다. 남편은 거실에서 주방을 힐끔힐끔 보며 어찌할 바를 몰라 했고, 나를 응원해 주지도 못했다. 중간에서 제 역할을 못 해주니 서운한 마음은 들었으나, 다른 방도는 없었다.

심한 입덧에 출퇴근은 힘들지, 몸은 계속 축났다. 어느 날 잠시 쉬기 위해 친정에 잠깐 가게 되었는데, 그동안 시집에서는 난리가 났다. 나도 모르는 나의 처신이 문제가 되었던 모양이다. 데리러 온 남편의 손에 이끌려 몸조리도 못 한 채 영문도 모르고 다시 시집으로 돌아왔고, 한참 야단을 들었다. 시부모 입장에서는 여러모로 당신 아들보다 나은 조건의 며느리가 건방지고 버릇없어 보였나 보다.

대학생이었던 남편은 졸업 후 기자를 하고 싶어 했다. 열심히 공부했지만, 그는 번번이 기자 시험에 낙방했다. 그는 서류며 시험이며 우수하게 통과해서는, 최종 면접에서 이상하리만큼 떨어졌다. 나는 그의 꿈이어서 돕긴 했으나, 그가 기자가 되는 것을 그리 원치 않았고, 사실 조금 더 공부해서 교수가 되기를 바랐다. 허나 시부모님은 대학 졸업 후 취업하지 못하는 맏아들을 탐탁지 않아 했다. 그는 갈수록 초조해졌던 것 같다. 부모의 눈치도 보였고, 임신 중인 아내에게 면도 서질 않았다. 나의 요구에 못 이겨 대학원 시험을 보기도 했지만, 그는 나의 생각 이상으로 번민하고 있었다.

그러던 사이 그의 은사로부터 인천의 모 학교 교사와 천안의 독립기념관 연구원 자리 제의가 들어왔다. 남편은 더 이상 버티지 못하고 1년 동안만 직장에 다니면서 그사이 기자든지 대학원을 가든지 하겠다며 본인의 결심을 말했다. 나는 그때까지도 시집의 경제적인 상황도, 맏아들로서의 그가 어디까지 책임져야 하는지도 잘 몰랐다. 그도 그럴 것이 그는 내게 한 번도 자신의 어린 시절이나 가정 상황에 관해서는 이야기한 적이 없었다. 참 무지했었다. 결국, 내가 원했던 그의 행로는 이루어질 수 없었고, 그는 대학원을 포기하고 취업하게 되었다.

그가 첫발을 내디딘 곳은 인천 모 중학교였다. 당시 우리가 살던 시집은 서초동이었는데, 인천까지 출퇴근하는 데 상당한 시간이 걸렸다. 남편은 시부모에게 분가를 요구했고, 서운했던 시부모는 어쩔 수 없이 분가를 허락하긴 하지만 우리가 집을 얻는 걸 도와주실 수는 없다 했다. 결국 친정엄마에게 손을 벌려 그의 직장과 나의 직장 중간 지점에 빌라를 얻어 분가하게 되었다.

모든 것이 쉽지 않았던 상황 속에서, 첫 아이가 태어났다. 첫딸은 우리에게 온 세상을 가져다주는 것 같은 행복감을 주었다. 어떻게 저런 아름다운 아이가 우리 편에 왔을까, 이건 신이 내린 은총이라며 아이를 바라보며 더없이 기뻐했다.

친정엄마가 첫애를 봐주어서 나는 계속 병원에서 근무할 수 있었고, 남편은 가끔 기자 시험을 보는 것 같더니 이내 포기를 하고 교사로서 최선을 다하겠다고 했다. 분가와 출산은, 시댁으로 인한 결혼에 대한 실망감을 상쇄하고도 남았다. 남편도 나도 각자 맡은 분야에서 최선을 다하며 살았다.

하지만 육아와 일을 함께 한다는 것은 참 피곤한 일이었다. 남편은 육아에 아무런 손도 보태지 못했는데, 당시 그는 교사로서 그가 할 수 있는 이상의 일을 하고 있었다. 방과 후 그는 가출한 소녀들을 찾아다니거나, 어려운 사정에 있는 학생들을 돕다가 집에 늦게 귀가하기 일쑤였다. 과중한 일들에 진이 다 빠져 돌아온 그의 집엔 그를 다독여 주는 식구만이 있어야 했다. 나는 나대로 힘이 들었고, 남편은 남편대로 힘이 들었던 시절이었다. 더군다나 친정엄마랑 같이 있으니, 그와 말다툼을 할 수도, 그의 나쁜 점도 얘기할 수가 없어 혼자서 끙끙 앓는 날이 계속되었다. 몸과 마음이 점점 지쳐갔다. 거기에 가끔씩 어처구니없는 시어머니의 요구까지 더해지면, 나는 진정 어찌할 바를 몰랐다. 남편은 시어머니 얘기만 나오면 들으려고도 하지 않았다. 나도 남편 한 사람 보고 한 결혼인데 시댁 식구가 무슨 큰일이냐고 생각이 들다가도, 시어머니의 요구엔 어쩔 수가 없었다.

결혼 3년 차. 결국 번아웃이 왔다.

나는 결혼 후 제 일에만 몰두하고, 자꾸만 자기중심적으로 흘러가는 듯한 느낌을 풍기는 남편에게 계속해서 함께 변화를 모색해 주기를 요구했지만 자기의 모습을 그대로 고집하는 그를 어찌할 수 없었다. 누구의 아내, 누구의 엄마인 모습만 남아 색이 바래지는 '나'를 보며 고민이 깊어졌다. 이렇게 살 수는 없을 것 같았다. 최고를 꿈꾸며 살았던 어린 시절이 눈에 아른거렸다. 나는 어디에 있는 것인가?

하지만 이혼을 생각할 때마다 엄마의 얼굴이 떠올랐고, 딸이 눈에 아른거렸다. 나를 위해 이런 결정을 하는 것이 맞을까, 나를 우선하면 우리 딸은 어쩌지? 나의 결정은 나의 인생뿐만 아니라 내 주변의 모두를 불편하게 만드는 것 같았다.

결국 내 인생은 내가 책임져야 했고, 나는 실패하지 않았어야 했다. 나는 나를 사랑하는 나의 남편과, 천 사같은 내 딸, 그리고 나를 응원하고 존중해주었던 나의 엄마와 더불어 행복해야 했다.

그리고 다시금 마음을 독하게 잡았다. 참자. 나는 우리 가족과 함께 살아간다. 남편의 있는 그대로를 존중하고, 가족과 함께하는 나, 엄마이자 아내로서 살아가자. 나는 그렇게 가족 속에서 존재하는 나로 살아가기로 결심하게 되었다.

8. 퇴사, 가정의 나를 선택하다

첫애와 4살 터울의 둘째 아들이 태어나면서, 아이들을 봐주었던 엄마는 매일 힘들다고 푸념하기 일쑤였고, 직장과 가정을 오가는 나도 힘들기는 마찬가지였다.

나는 낮 근무만 하는 자폐아 치료센터에서 근무했는데, 그곳은 의사와 간호사, 특수교사가 함께 한 팀을 이루어 자폐아를 치료하는 곳이었다. 일주일에 한 번씩 영어 저널 및 콘퍼런스, 환자 사례를 발표하는 등 많은 공부를 요하는 곳이었다. 퇴근 후 집에 와서는 두 아이의 육아를 완전히 책임져야 해서 공부에 할애할 시간은 엄두도 내지 못했고, 그때까지도 남편은 일이 바쁘다며 육아나 집안일을 도와주지 않았다. 체념한 나는 남편에게 더 이상 요구하지 않았지만, 나는 이미 한계치 이상이어서 더 이상 버틸 수가 없었다. 이러다가는 직장에서건 육아에서건 모든 것이 엉망이 될 것 같아, 어쩔 수 없어 남편에게 도움을 요청했더니 그는 이렇게 답했다.

"그럼 그만둬! 너무 힘든데 어찌하겠니? 내가 시간이 없어 도와줄 수도 없고 나도 미안한데……, 뭐 어떻게든 되겠지."

이야기를 나눈 다음날, 나는 사직서를 냈다. 두 번 생각도 하지 않고 사표를 냈다는 것은 당시 내가 얼마나 힘들었나를 보여 주고 있었다. 선배들이고 동료들이고 다들 난리가 났다. 당시 내가 근무했던 자폐아 치료센터는 누구나 근무하고 싶어 하던 곳으로, 간호사의 역할이 많아 능력을 인정받는 그런 곳이었다. 얼마 안 있으면 수간호사가 될 텐데 다들 아깝다고 난리였다.

서운하지 않았다고 하면 거짓말일 거다. 남편이 육아에 동참해 주길 바랐지만, 그는 그래 주지 않았다. 심지어 그는 내가 집에서 육아에 전념하고, 남들 앞에 나서지 않았으면 했다. 이런 상황에서 내가 진짜로 추구하고자 했던 삶이 무엇이었나, 내게 가족의 의미는 무엇인가, 나에게 있어 내 아이의 중요성은 어디까지인가를 생각하니 내가 그만두는 것이 가장 현명한 선택이라는 생각이 들었다. 그렇게 사직서를 내고 20여 일 만에 사표가 수리되면서, 나는 가정의 나에 충실하게 되었다.

이후 주변은 많은 것이 변했다. 우선 함께 살며 우리를 도와주던 엄마가 분가했고, 사직 후 몇 달 되지 않아 남편 근무지와 가까운 인천으로 이사했다.

나는 최선을 다해 육아에 몰두했다. 예쁘게 커가는 아이들은 당시 나에게 있어 최고의 선물이었다. 어떻게 하면 더 잘 키울까 염려하며 애쓰려 했다. 남편도 나도 이 기간 동안은 여러 인연을 최대한 멀리하며 오롯이 애들하고만 지냈다. 우리 네 식구만의 세상을 살아갔다.

아이들은 정서적으로도 훨씬 안정감을 느끼는 것 같았고, 남편도 그가 최고인 집에서는 더없이 좋은 아빠였다. 나의 얕은 지식으로 어떻게 하면 아이들을 잘 키울지 찾아보고 행동해 보고, 주말이면 이곳저곳을 데리고 다니며 아이들 교육에 신경 쓰곤 했다.

어느 때엔가, 딸아이는 내게 이런 말을 했다.

"엄마, 엄만 우리 때문에 엄마 하던 일 다 그만두고 이렇게 집안일 하는 거 후회하지 않아? 엄마 같은 고학력이……."

하지만 나는 후회하지 않았다. 그때의 내겐 다른 누구보다 우리 가족이 더 중요했으니까.

9. 재취업, 조금씩 나를 찾아오다

그렇게 10여 년이 지나갔다. 아이들이 크고 마흔에 가까워지는 나이가 되면서, 조금씩 내면의 무언가가 꿈틀거렸다. 이렇게 살다가 끝나는 것이 맞을까? 최고를 꿈꾸던 나를 잃고 주부로 만족하며 살아가고는 있지만, 자꾸 불안해졌다. 어떤 삶이든 내가 다시 선택하고 싶다는 생각이 다시 고개를 들었다. 터닝 포인트가 필요했다.

이에 도서관에 다니면서 양호 교사 준비를 시작했다. 그때는 공무원 임용 나이가 만 40세로 제한되어 있던 시절이라 마지막 기회로 보였다. 남편과 아이들이 학교로 간 이후 집을 치우고 9시 반쯤 도서관에 가서 3시에 돌아왔다. 식구들은 아무도 내가 임용고시 준비를 한다는 것을 몰랐다. 비밀로 하고 싶었다. 혹시 불합격하면, 창피할 것이라 생각했다. 비밀리에 시험을 치르고, 합격한 이후 식구들에게 말할 생각이었다.

하지만 좋던 기억력은 어느새 쇠퇴했고, 집중력도 떨어졌다. 암기도 잘 안되고 잡생각만 난무했다. 시간은 자꾸 흘러 8월이 다가왔다. 약간은 초조해지기도 하고, 자신감은 더욱더 떨어져 갔다. 포기할까 하는 마음이 굴뚝 같았다.

그러던 중, 같은 아파트에 살던 남편의 지인이 나더러 취업해 보는 게 어떻겠냐고 제의를 해 왔다. 인천 부평에 백화점이 들어서는데 거기서 의무실 간호사를 모집한다는 것이다. 그러면서 4년제 간호학과 졸업에 종합병원 근무 경력을 지닌 내가 그곳에서 원하는 적임자라 했다. 백화점 위치는 집에서 걸어서 10분 정도. 산업장에서의 간호는 그리 힘든 일은 아니었으니 일의 강도도 괜찮았다.

아이들이 얼추 커서 그런지 재취업에 대한 이야길 꺼내자, 남편은 이전에는 시간도 없고 자신이 못나서 잘 못 해주었다며 미안했다고, 나의 도전을 응원해 주었다. 이번에는 가사 분담도 하고, 자녀 양육에도 최선을 다 하마하고 굳은 결심을 이야기하기도 했다. 그렇게 나는 의무실 간호사로서의 생활을 시작했다.

새 직장은 내게 아주 많은 자신감을 불어 넣어 주었다. 거의 10여 년 만의 정규직이었고, 당시엔 여자 나이 40의 취업은 감히 꿈도 못 꾸던 시절이었다. 내가 대견스러웠다. 그리고 다시 한번 나의 엄마한테 나를 이렇게 잘 키워준 것에 고마웠다. 그녀도 좋아했다. 잘난 내 딸은 집안일만 할 사람은 아니라는 게 그녀의 생각이었다.

재취업 후 첫 출근날의 감흥을 지금도 나는 잊을 수 없다.

다시 이런 날이 내게도 오는구나……. 나만의 사무실이 있었고, 그곳에서 나는 주인공이었다. 병원 시절의 나보다 더 열심히 근무했다. 출근 시간에 맞춰 출근하고, 근무할 수 있는 나의 공간이 있고, 나의 능력을 인정해 주는 그런 곳이 있어서. 일을 할 수 있어 행복했다.

그러다가도 혹시나 나의 갑작스러운 부재로 아이들에게 피해가 가지는 않을까 세심하게 신경을 쓰곤 했다. 당시 딸아이는 중2였고, 아들은 초등학교 4년으로 어느 정도 큰 상태여서, 사실 무리가 없다 생각했다. 하지만 그런 나의 낙관을 비웃기라도 하듯, 딸아이는 나의 공백이 생기자마자 사춘기를 앓기 시작했다. 모범생이었고, 공부도 잘했던 딸아이는 갑자기 문제아 대열에 끼었고, 매일같이 남편과 목청을 드높여 싸우기 일쑤였다. 간섭하지 말아야지 하다가, 도저히 안 되어 하루는 조용히 딸아이를 불러 이야기했다.

"딸아, 무슨 일 있어?"

"흐흐흐 아냐. 그냥 조금."

딸아이의 이런 방황이 모두 내 책임인 것 같았다. 내가 괜히 취업해서 이런 사달이 난 걸까. 아직 그 애들 곁에 있어야 하는 건데, 내가 너무 내 생각만 했나 하는 후회가 휘몰아쳤다.

"혹시, 엄마가 직장이 생겨서 그래? 엄마 그러면 일 관둘 수 있어."

딸은 큰 눈을 동그랗게 뜨고 답했다.

"엄마, 그런 소리 하지 마. 나는 엄마가 일하게 된 것 너무 좋아. 자랑스러워. 걱정하지 마. 나 문제아도 아니고, 탈선한 것도 아냐. 조금만 기다려줘. 나 엄마 딸이야. 크게 이상한 짓을 하는 것도 아니고, 마음이 조금 그래서 그래. 좋아하는 연예인 따라다니는 정도일 뿐이야. 조금만 기다려주라."

딸아이는 H.O.T.의 광팬이었다. 좋아하는 마음이 커진 걸 제 뜻대로 표현하는 중이었단다. 기다려주면 돌아오겠다는 딸의 말에, 왠지 모르게 조금은 안심이 되었다. 그때부터 나는 기다렸다. 우리 엄마가 나에게 해주었던 것처럼. 좀처럼 예전 같지 않는 딸의 모습을 보며 보다 곁에 있어주는 게 맞지 않을까 늘 불안했지만, 내가 할 수 있는 것은 딸을 믿고 기다리는 것뿐이었다.

기다리기로 했으니 잔소리, 군소리는 최대한 하지 않으려 했다. 그러자니 무언가 행동으로 아이들에게 좋은 영향을 주어야겠다는 생각이 들었다. 나는 나의 딸과 아들에게 본보기가 될 수 있도록 노력하려 했다. 좋은 모습을 보여주다 보면, 아이들도 분명 배우는 게 있으리라 싶었다.

이때부터였다. 새벽 기상을 시작한 것이. 나는 새벽에 일어나 신문과 책을 읽고 계속해서 세상을 공부했다. 아이들이 이런 나의 모습을 보며 함께 공부해 주기를 바랐다. 이후 가족들이 등교나 출근을 준비할 시간이 되면 그것을 돕고, 그들이 나서고 나면 재빠르게 집을 청소하고 헬스장에 가 몸을 단련했다. 그러고 나서 회사에 출근했다. 나름대로 새벽부터 시작하는 나만의 루틴이 생겼다. 그리고 이러한 새벽의 일상은 아이들에게도 그렇지만, 무엇보다 나를 건강하게 만들고, 감정을 살찌우며 탄탄하게 했다.

영향이 있었는지, 딸은 정말 거짓말처럼 제 생활로 돌아왔다.

직장 생활의 시작, 재취업 이후는 더할 나위 없이 좋았다. 나는 아이들에게 가급적 유한 태도를 보이고자 노력했고, 남편도 이전보다는 나를 많이 격려해 주었다.

직장 내에서는 직원들을 위한 건강 교육 프로그램도 만들어 강의도 하고, 직원 복지 차원에서 여러 가지를 회사에 건의하기도 하였다. 가끔씩 산업간호 교육프로그램에서 강의를 요청받아, 연수 프로그램에서 강의도 했다. 어느날에는 산업 간호사 인천 지부장 자리를 제의받기도 했지만, 거절하였다. 남편과 살면서 남 앞에 서는 것이 철저히 통제받았던 터라, 어릴 때의 매사 적극적이었던 나의 성격은 이미 사라진 지 오래였다. 하지만 이런 제의나 호의를 받을 때면 자존감이 올라가는 것 같아 기분이 좋았다.

남편은 역사 교사에서 논술을 가르치는 쪽으로 방향을 바꾸었다. 학창 시절에 탐독했던 수많은 도서가 그에게 많은 도움을 주었다고 한다. 현직 교사로서 논술 분야에서는 누구에게도 빠지지 않는 위치에 올라갔다. 성적이 모자라는 학생들에게 논술을 가르쳐 합격 성과를 내며 인정받았고, 전국적으로도 그의 명성은 자자해졌다. 남편은 정말 열심히 했다. 수능 전에는 어김없이 일요일에도 특강을 했고, 방과 후에 남아 논술이 필요한 학생들을 지도하곤 했다. 그럴수록 그의 건강은 나빠졌지만, 그것이 그의 열정을 저해할 수는 없었다. 생각해 보면, 남편도 나도 언제나 제 일인자가 되어야 한다는 일종의 강박관념으로 살아온 것 같다.

밖에서 나의 생활이 열심이라고, 아이들 교육에 소홀했던 적은 없었다. 백화점에서 근무하던 터라 나의 근무 시간은 오전 10부터 오후 8시까지였다. 등교에는 하등 지장이 없었다. 그때도 나는 새벽에 일어났기 때문에 모든 집안일은 한 치의 어긋남이 없었다. 잠시 삐끗거렸던 딸도 제자리에 돌아왔고, 아들도 반듯하게 자라고 있었다. 아침이면 아들과 딸을 등교시켰고, 혹시라도 셔틀버스를 놓칠 때면 손수 운전하여 학교에 등교시켰다.

그렇게 모든 것이 잘 흘러갔다. 남편도 나도 자신의 분야에서 우뚝 서 있었고, 아이들도 그들 자리에서 최선을 다하는 것 같았다.

10. 다시 새벽 3시, 나 혼자로의 초대

아이들이 대학에 진학하고, 또 졸업했다. 대학 입학은 미래를 보장해 주지는 않는다. 졸업 후 그들이 갖는 직업이 그들 미래에 있어 중요한 것이라고 생각한다. 그들의 미래를 책임질 그런 일까지 도와주는 게 부모의 도리라고 생각했다.

딸은 사범대학을 졸업해서 교사가 되기 위한 임용고시를 준비하고 있었으나 좀처럼 합격이 우리 곁에 오지는 않았다. 훗날 딸은 이땐 열심히 공부하지 않았는데 진짜 엄마 아빠한테 미안했다고 말했다. 이때도 우리 부부는 그녀가 합격할 때까지 기다려 주었다. 결국은 합격해서 아이는 지금 아주 유능한 교사가 되어 있다.

아들은 의대에 갔으면 싶었지만, 약사가 되었다. 자신의 직업에 만족하며 사는 것 같아 뿌듯하다. 생각해 보면, 부모란 참으로 인내하고 기다려야 하는 직업인 듯싶다. 그렇게 조금씩 목표를 낮추니 행복한 순간들이 찾아왔다.

어린 시절 꿈꾸던 무모한 최고는 아닐지언정 우리 부부는 서로를 인정하고 스스로를 다독여 주며 살아오고 있었다. 특히 아이들이 자신들의 롤 모델이라며 우리를 치켜 세울 때면 더 없는 행복감을 느끼곤 했다. 잘 살았고, 잘살고 있는 거라고.

50대 후반이 되면서, 이런 저런 생각들이 다시 꼬리를 물고 따라왔다. 이제 60이 코 앞인데, 매일 아침에 출근하고, 휴일만 기다리는 이런 삶을 계속 이어 나가야 하나? 내가 진짜로 하고 싶은 것은 무엇일까? 더 이상 미룰 수가 없어 남편에게 말했다. 회사를 그만두겠다고. 그랬더니 남편도 자기도 그만두고 싶다 답한다.

나는 간곡히 부탁했다.

"여보야, 부탁이니 나만 먼저 그만두고, 당신은 딱 1년만 있다가 퇴직했으면 좋겠어. 1년 동안 나 혼자 하고 싶은 것 좀 하자."

그 동안 매사 남편과 함께였기에, 나는 인생 후반기를 시작하는 그 시점에 1년 동안 나 혼자서 하고 싶은 것들을 해나갈 요량이었다. 맘껏 연극도 보고, 나 혼자 도서관에 가서 낮시간을 보내고, 가끔씩 호사스러운 뮤지컬도 관람하고, 책방에 가서 책을 열람하기도 하는 그런 아주 사소한 바람이었다.

남편과 같이 하면 되는 것 아니냐고 누군가는 말하겠지만, 사실 남편과 나는 많은 부분에서 다르다. 남편은 영화 보는 것은 좋아했지만 연극 관람은 싫어했고, 뮤지컬은 아예 생각도 하지 않았다. 그리고 그는 서점에 가서 눈 독서를 하는 것도, 도서관에 가는 것도 질색이었다. 학생 시절부터 남편은 스포츠를 좋아하고 동적인 면이 더 강했지만, 나는 운동과는 거리가 먼 정적인 인간이었다. 지금은 나도 운동을 좋아하게 되었는데, 이 역시 남편과 맞추려는 나의 노력이 빚은 것이었다. 남편이 곁에 있으면 나는 내가 좋아하는 걸 하기보다는 남편이 좋아하는 걸 함께 해야만 한다. 그것이 우리 부부의 불문율이다.

결국 따라쟁이 남편은 나의 퇴직 시기에 맞추어 명퇴하고 말았다. 그래서 우리는 24시간 내동 붙어 있는 부부다. 가끔씩 가는 나 혼자만의 라운딩 외에 나 혼자만의 시간은 전혀 없다. 직장 생활 때보다 남편과 더욱더 붙어 있다. 몇 차례 바꾸려 시도해 보았지만, 그때마다 그는 더 완고해졌다.

어디서 들었는데, 인간은 나이를 먹을수록 초조감이 더 생긴다고 한다. 혹시나 이것이 마지막이 아닐까하는 마음에서란다. 남편도 그러는 것 같다. 모든 것을 같이 하고 싶어 한다. 만약 내가 거절하면 그는 그를 무시한다며 화를 내고, 급기야는 큰 싸움이 되고는 한다.

에휴. 이미 각자 자신의 짝을 찾아 결혼한 딸, 아들에게 푸념을 할 수도 없고, 이건 완전한 내 몫이다. 내가 해결해야 하는 나의 일이다. 내가 가장 사랑하는 남자가 그렇게 하고 싶다는데 어쩌겠나?

다시 새벽 3시.

오늘 읽을 전자책은 사라 밴 브레스낙의 '혼자 사는 즐거움'이다. 나는 책을 읽을 때 서문부터 차례로 숙독하는 편이다. 서문에 이런 글귀가 있다.

"복잡한 관계 속에서 다양한 역할을 수행하며 살아갈수록 당신은 '혼자만의 즐거움'을 찾아야 한다. 그래야만 당신 인생에 당신을 주인공으로 초대할 수 있다. 혼자 산다는 것은 싱글이나 독신으로 산다는 의미가 아니다. 더불어 살아가는 삶 속에서 고유한 자신만의 즐거움과 아름다움을 추구한다는 뜻이다. 당신 인생 안에 당신만의 시간을 가장 많이 쌓는다는 뜻이다. 이를 통해 함께 하는 삶의 풍요로움을 만들어 나가는 것이다."

남편과 더불어 살아가는 삶 속에서, 나는 고유한 나만의 즐거움을 추구하고 있다. 이것이 내가 새벽 3시에 얻는 나만의 시간에 집착하는 이유이다. 내가 주인공이 되는 내 인생은 내가 만들어야 한다. 나를 초대할 시간인 것이다.

나는 혼자만의 즐거움을 만끽하려 몸을 일으킨다.
이 작은 행복을 느끼며, 그리고 더 작은 행복을 위해,
나는 나를 발견한다.

초대된 나는, 지금 행복하다.

좋을 나이, 마흔

송수연

송수연

정의롭고 따뜻한 사회를 바라는 역사교사이자, 공부하는 사람이고, 한 아이의 엄마이다. 삶은 사람과의 만남이라는 신영복의 글을 좋아한다. 살면서 쉽게 넘어간 날들이 없어, 어려운 길을 걷는 누군가에게 힘이 되는 사람이고 싶었다. 그런데 외려 그렇게 만난 다른 이들에게 도움받는 일이 참 많았다. 22세기를 밟을 나의 아이가 사람과 더불어 사는 행복을 배워나갔으면 좋겠다. 교원 임용을 위한 수험 서적인 <사이다 수업>, <학교사용설명서>를 집필했다.

email: sysong0803@gmail.com

1. 2024년

올해로의 해넘이는 유독 조용했다. 장기 해외 출장으로 집을 비운 남편 덕분도 있고, 이제 5개월에 들어서서 8시면 잠드는 아기가 모든 세상의 중심에 있어서도 그러했다. 무엇보다 2024년 맞이할 나의 '나이' 때문임이 컸다. 1985년생 소띠, 나는 올해 마흔이자 마흔이 아니게 되었다.

나이는 숫자에 불과하다는 알 수 없는 누군가의 말을 비웃기라도 하듯 요즘 서점가에는 서른과 마흔, 오십 등에 온갖 조언을 쏟아붓는 책이 한창이다. 서른에는 아들러를 읽고(『서른에 읽는 아들러』), 심리학과 문답을 나누어야 하며(『서른 살이 심리학에게 묻다』), 잔치가 끝나 일상을 살피게 된단다(『서른, 잔치는 끝났다』). 오십이 되면 주역(『오십에 읽는 주역』)과 논어(『오십에 읽는 논어』), 손자병법(『오십에 읽는 손자병법』)을 읽으며 인생을 관조하고, 오롯한 자기만을 위한 삶으로의 전환을 도모하라 한다.

그 와중에 마흔에 대한 책의 숫자가 압도적인 것을 보면, 세상 사람들이 마흔에 해주고픈 이야기가 그만큼 많은가 보다. 30과 50 사이 흔들 다리마냥 놓인, 마흔의 그 위치가 꽤 매력 있어 그런 것일지도 모르겠다. 여하튼 이제 곧 마흔이 될 것이니, 마흔에 건네는 위로 좀 받아보자 싶어 여기저기 들춰보았다. 대부분 '벌써 마흔'이기에 '이미 늦었다고 생각하겠지만', 사실은 '무엇이든 새롭게 시작할 수 있는' '인생 2막'이라는 이야기에 가까웠다. 그러고 보면 마흔이라는 글자는 어쩜 또 마흔 같은지. 스물이나 서른은 공기가 새어 나가는 시작이라 거세면서도 생동하는 데 반해, 마흔은 네모반듯하게 입을 여니 안정감을 준다. 그런데 또 쉰이나 예순보다는 설익어서 흔들리며 마무리된다.

스위스의 정신분석학자인 칼 융(Carl Gustav Jung)은 인생의 전반을 아침, 인생의 후반을 오후로 구분하였다 한다. 인생의 오전은 높은 산을 오르는 것처럼 성취를 위해 도전하고 확장하는 시기라면, 오후는 외부적 성공에 몰두해 왔던 자기 삶의 에너지를 내면으로 돌려가야 한다는 것이다. 인생의 전반기에서 후반기로 이행하는 중년 전환기에는 삶의 의미를 성찰하고 새로운 인생 구조를 형성해 가야 하는데, 이 전환기가 보통 마흔 즈음, 인생의 '정오'이다. 때문에 마흔을 겪는 사람들은 다소 신경증적인 침체와 심리적 지진을 경험한단다.

대놓고 '지진'이라니. 불혹(不惑)은 공자 정도나 되어야 가능한 것인가 보다. 사실 말이 마흔이지 나는 여전히 세상이 무섭고 아직도 한참 부족한 것 같은데, 사회가 마흔에게 요구하는 것들에 퍽 부담스럽기도 했다. 예컨대 인간은 마흔쯤 되면 제 얼굴에 책임을 질 수 있어야 한다는 링컨의 말이 참 그랬다. 당장 오늘 아침에도 남편이 사 놓은 크래커를 먹을지 말지 고민하다, “에라 모르겠다.” 하며 한 통을 다 먹어 버리고서, 체중계 위에서 한참을 왜 그랬지, 후회하는, 그러니까 몇 시간 전 아침의 나에게조차 책임지지 못하는 내가. 고작 마흔이 되었다고 지나온 세월에 책임을 져야 한다니! 앞자리 숫자 하나 바뀐 것일진대 주어지는 과제가 너무 무겁지 않나 싶었던 거다.

허나 주변에서 나의 연식에 기대하는 바가 그러하다면, 적어도 그러려는 노력이나 시늉이라도 해야 할 것 같았다. 인간은 사회적 동물이고, 나는 주변의 눈치를 꽤 살피는 성격이니까. 설령 그게 아니더라도 마흔쯤 되었으니 들어야 할 이야기들을 듣고, 해야 할 것들을 찾아하면서 침착하게 나를 되짚어볼 필요가 있다는 데에는 공감이 되었다. 배울 만큼 배운 온갖 심리학자, 의사, 인문학자들이 하나같이 마흔이기 참 쉽지 않다며 으름장을 놓는데, 마흔에 대비할 내진 설계를 해두는 것이 좋겠다는 생각도 들었다.

떠올려보면 사실 마흔이 되면 좋을 일도 많았다. 아직 달달한 신혼 시절 “자기 마흔 되면 우리 신혼여행지였던 캉쿤(Cancún)에 꼭 다시 가자.” 공수표를 날렸던 남편의 말을 반의반쯤은 믿고 있었기에 혹시나 하는 마음이었다. 어렸을 적 재미 삼아 보는 사주 풀이마다 “너는 마흔이 되면 돈이 막 굴러들어 올 거다.” 했으니 더 기다려질 만도 했다. 마침 서른아홉에 세상에서 가장 사랑스러울 것이 분명한 나의 아들을 만났으니, 마흔, 새로운 인생을 여는 문고리로 딱 좋은 때라는 생각도 들었다. 그래 뭐 공부깨나 하신 분들이 그리도 마흔이 중하다 한다면 적실한 이유가 있겠지. 제대로 마흔을 앓고, 현명하게 잘 건너서 남은 인생을 알차게 채워나가 보자. 그렇게 단단히 결심했었다.

자, 그러니까 2024년은 내가 마흔이 될 해였다. 2023년 12월 31일은 지난 인생을 재평가하는 날, 다음 날인 1월 1일은 앞으로의 후반전을 알차게 설계해야 하는 날이 되어야 했다. 이번에는 반드시 다른 때와는 달라야 했다. 어디 가서 청년이라 말할 수 없는 세대에 들어서는 것이니만큼 매무새를 단정히 하려 고가의 코트도 사두었다. 애티튜드도 갖춰놓을 요량으로 어렵다는 벽돌 서적도 찾아 읽기 시작했다. 심적으로 불안정할 것이라면 몸은 단단해야 한다며 자기 전 스트레칭에 항산화 영양제도 먹기 시작했다. 마음을 단련하는 자기 계발 강좌도 거금을 주고 신청했다. 이 모든 것은 나의 마흔을 잘 다져나가겠다는 의지이자 일종의 공언 행위였다.

아니 그런데. 이게 무슨 일인지? 올해의 내가 마흔인지 마흔이 아닌지 문제가 생겼다. 2023년 6월 28일부터 정부의 국정 과제로 수행된, 나이를 세는 법적·사회적 기준이 '만 나이'로 통일되는 법 개정안 탓이었다. 만 나이는 출생일을 기준으로 0살로 시작, 생일이 지날 때마다 1살씩 더해가는 나이 계산법이다. 그러니까 1985년 8월생인 나는 2023년 해넘이를 할 때는 39살이었는데, 6월 28일부로 37살이 되어버린 거다. 만 37세.

당황하지 않을 수가 있을까! 2024년이 내가 39살이 되는 해이거나, 41살이 되는 때였으면 이 법안은 솔직히 문제 될 것이 없었다. 마흔을 앓는 시기를 조절할 수 있거나, 아니면 이미 겪고 넘어왔을 테니까. 그러나 갑진년에 마흔을 맞는 나의 경우는 달랐다. 마흔은 내 인생의 획기가 되어야 했고, 이전의 나와 이후의 나는 달리 규정되어야 했다. 나는 이십 대와 삼십 대를 정리하면서, 가장 좋아하던 단어인 '청춘'을 떠나보내고, 강아지보다는 고양이처럼 살아가겠노라고 결심하면서, 시계의 시침과 분침이 열둘에서 만나는 그 시점에 맞추어 사십 대로의 한 걸음을 당차게 내려놓아야 했다.

그런데 내가 삼십 대인지, 사십 대인지조차 명확하지 않게 된 것이다. 특히 마흔을 앞둔 나는 청년과 중년을 가르는 선을 밟고 있었고 하필 이 시기에 만 나이 법이 시작되면서 위쪽으로 가야 하는지, 아래쪽으로 가야 하는지 방향이 모호해졌다. 지난 공부에 따르면, 내 나이 마흔으로의 이행이란 인생 전반전의 은퇴식으로 기록되어야만 했다. 생일도 8월이라 애매하게 연중에 퇴임하는 것보다는, 세상 모두에게 공평한 지저스의 탄생에 기대어 1월 1일, 모두와 함께 정리하고 시작하는 것이 딱 좋았더랬다. 사주 카페에서 말한 마흔은 그럼 언제란 말인가. 남편과 가야 할 비행기표는 언제 끊어야 한단 것인가.

해넘이가 성대하지 못했던 것을 탓하자면 그래, 그래서였다. 초를 38개를 꽂아야 할지, 40개를 불어야 할지 정해지지 않아서. 누군가는 왜 이리 집착하냐 할 수 있는데, 마흔부터는 달라야 한다고 수없이 주입했던 건 나를 둘러싼 이 사회였다! 외줄 위에 휘우청거리며 서 있자니, 아니 이 정도의 심리적인 불안을 서른여덟(만 나이)에 겪기는 조금 억울하다. 마흔 앓이는 이보다 더 커야 할 것 같아서 더 부담스러워진다. 아니 이쯤 되면, 그냥 나 올해 마흔하면 안 되나?

2. 만 앓이

그렇게 나는 마흔 앓이는커녕 갑작스럽게 내 인생을 흔든 '만 앓이'에 들어섰다. 만 나이는 왜 지금에서야 시작되어서 남들에 비해 꽤 강성하게 부풀었던 나의 '마흔 될 각오'에 구멍을 내고 피유- 바람이 빠지게 만들었을까. 내 평생을 40년이라 생각해 왔는데 갑자기 38년이라고 우겨대면 받아들여야 하는 것인지! 그래서 나는 임신 중 새로이 생긴 이 목주름을 마흔 답게 책임지고 순리라 받아들여야 하는 것인가 아니면 여느 서른 때와 마찬가지로 팽팽하게 당겨서 어떻게든 인공적으로 펴낼 생각을 해야 하는 것인가? 만 38세는 이때 어떤 선택을 해야 하지?

살면서 합법적으로 나이가 후진하는 경험을 할 줄이야. 역시 인생은 감히 예측할 수 없어 짜릿한 맛이 있다. 사실 만 나이는 내가 대학에 입학했을 때 적용되면 좋았었을 거다. 나는 1년을 더 공부하고 대학에 들어갔는데, 이미 재수하던 노량진 시절에 세상의 온갖 재미를 알아버린 터여서 여대 생활이 참 녹록지 않았다. 역사하는 사람들에게 고적 답사는 곧 술 답사라는 말이 있어 기대하고 갔더니, 술은커녕 만날 세미나와 발표만 몇 시간 동안씩 했다. 젊음이 넘치던 스물하나(만 나이였다면 무려 열아홉이었다!)의 송주연(送酒年), 1년을 술로 보낸다는 별명이 붙어 있던 그 시절의 나는 도저히 술 없는 대학 생활을 용납할 수 없었다. 그래서 학교 밖 연합 동아리 중에서 [영화 감상 동아리]라 하는, 그러니까 영화를 제작하는 것이 아닌 그저 '감상'만 할 것인, 거기에 반주를 곁들이며 청춘을 즐길 것만 같은 그런 놀고 마시자 이미지의 동아리를 굳이 굳이 찾아 가입했다.

우리 동아리에는 원칙이 있었다. 위 기수에게 선배라 하지 말고 '언니', '오빠'라 할 것. 나름 친밀감을 높이기 위한 규칙이었던 것 같은데, 재수생 출신인 나의 경우 때문에 여럿이 곤란해졌다. 동갑인 85년생 선배들과는 그나마 나았다. 그때만 해도 빠른 연생의 1년 이른 학교 입학이 가능해서, 나의 위 기수에는 1986년 1, 2월생 서넛이 있었다. 나는 연 나이로 나보다 명백하게 어릴 그들에게 언니, 오빠라 하며 애교를 부려야 했다. 고작 한 학년이 뭐가 그리 대수였을까? 삼수 끝에 간호학과에 입학하여 나와 함께 동아리에 가입했던 S 언니는 끝까지 선배들에게 언니, 오빠라 부르지 못했다.

뭐 이십여 년이 다 되어가는 지난 일이라지만, 만약 만 나이가 보편화되어 있었다면 모두에게 불편할 이런 이상스러운 일은 없지 않았을까 싶기는 하다. 학번이 같더라도 나이가 다를 일이 빈번했을 테고, 그렇다면 그래봤자 1년 선배를 손윗사람으로 부르게 하는 그런 악법은 만들어지지도 적용되지도 않았겠지. 나보다 밥그릇 단위로 기백 개는 덜 먹었을, 내가 아장아장 걸을 때 이제 겨우 신생아 딱지를 떼었을 H 선배한테 "오빠, 귀요미 술 좀 사주세요." 하며 반토막의 혀로 징징대는 흑역사를 만들 일도 없었으리라 생각하니 한껏 분하다.

참 이상하지. 모여 영화를 감상하는 데에 연 나이건, 만 나이건, 한국 나이건, 뭣이 중혔을까. 서울에서 매우 흔했을 수능 재 응시자에 대한 무배려의 부정의에 힘겨웠던 이십 대의 나는 오기로 동아리를 버텼다. 대학 3년 때에는 그 동아리의 회장도 했다. 그러면서 선배들 몰래 언니, 오빠 문화를 없앴다. 나이에 맞게 지내자 했고, 후배들은 나의 말을 전적으로 따라주었다. 바로 위 기수, 즉 내가 언니, 오빠라고 불러야 했던 나의 동갑내기들과는 동아리 활동을 끝낼 때까지 어색했고, 지금도 연락하고 지내지 않는다. 언니, 오빠. 형. 누나. 참 정겨운 말일진대, 오히려 사람과 사람 간의 관계를 멀어지게 했다니 아이러니하다.

인간(人間)은 사람[人]들 사이[間]를 살아가는 존재란다. 나와 윗사람과의 관계를 함의하는 언니, 오빠, 형, 누나는 그러한 '간'을 잇는 말이다. 그럼 만 나이가 적용되면 언니, 오빠, 형, 누나는 누구와 누구 '간'에 놓이는 말이 되는 것일까. 나의 생일보다 위이면 언니인가, 그럼 같은 학년 안에서 오빠들이 생기는 것인가. 인간다운 말이니만큼 아무라도 정확하게 설명해 주면 좋을 텐데. 법안을 발의하고 적용할 때부터 충분히 예측 가능한 결과적 혼란이니 대비책이 있을 것 같은데 알아내기가 어렵다. 이미 절반 가까이 살아온 나야 앞선 나날처럼 해나가면 그만이겠지만, 하특 2023년에 태어난 아이의 어미인지라 누가 형아고 어느 친구가 동생인지 알려주어야 할 의무가 있어 답답하다.

자연스럽게 만 나이를 적용해 온 서양 사람들에게는 이런 이름표가 없었다. 그럼, 한국에서도 이제 고어(古語)가 될 수도 있겠다. 살면서 옛적부터 있어온 '말'의 '끝'을 볼지도 모르겠다는 생각이 든다니 참으로 생경하다. 애틋한 마음에 시작을 찾아봤다. 본래 '언니'는 남녀 불문 손윗사람을 부르는 순우리말이란다. 꽤나 유서 깊은 단어다. 그러다 성리학의 나라 조선 때 양반님네들이 아랫것들과 차이를 두고자 한자어인 '형(兄)'을 쓰기 시작했단다. 이와 달리 '누나'는 19세기 말에 처음 등장했다. 근대 시기에 조어된 단어로, 이 당시에는 손위 아래의 여자 형제 모두를 뜻했는데 20세기 이후 여형(女兄)만 의미하는 것으로 축소되었단다.

한편 '오빠'는 '올-아바'에서 기원한다는 연구가 있다. 올-은 올밤, 올벼 등에서의 쓰임과 같이 '이른', '미숙한', '어린'이라는 뜻이다. '아바'는 본래 아버지를 뜻하는 말이다. 결국 올아바/오라바는 아버지보다 어리고 미숙한 남자라는 뜻으로 해석될 수 있다. 오라바는 19세기 말 문헌으로 가면 '옵바'로 변모하고, 20세기 초반이 되면 '오빠'로 자리 잡게 되었다(조항범, 2002). 남자들이 오빠라는 말을 듣기 좋아한다고 하던가. 하긴 예전 나의 남자 사람 친구도 외국인 여자 친구에게 가장 먼저 가르쳤던 말이 무려 'oppa'였다. 요새 사람들은 모르겠지만, 90년대 남자 아이돌 그룹의 이름이기도 했다. 하여간 아빠와 비교해 어리고, 부족하고, 성숙하지 못한 자가 오빠라 하니, 영 일리가 없는 말은 아닌 듯하다.

요즘 들어 더욱 짧아지고 있는 '말'의 생사 주기를 보건대, 쓰이지 않다 보면 정녕 사라질 수도 있겠다 싶다. 한국의 K-장녀인 나는 집에서 맏이라 그런지 의지할 언니들을 참 좋아했다. 동아리에서의 일만 아녔다면 언니는 나에게 늘 따스한 느낌였을 거다. 어릴 적 상처로 마음에서 멀리했던 말들에 새삼 미안해지기도 한다. 말 생김도 참 어여

쁜데, 많이 불러볼걸. 언니, 오빠. 읊조리다 보니 만 나이에 익숙할 우리 아이는 모를 말일 수도 있겠다 싶어 갑자기 코끝도 찡하다. 강변에 같이 살자 했던 누나도, 빛나는 졸업장을 타신 언니께 왜 꽃다발을 주는지도 모르겠지. 반백 년이 조금 모자란 햇수 차이에 너와 나 사이 사용하는 말도 달라질 수 있다는 걸 깨달으니, 마음이 요동한다. 이제 겨우 음-마 입 떼기 시작한 너와의 소통을 엄마는 이렇게나 벌써부터 걱정한단다. 만 나이가 디폴트 값일 너와 마흔인지 만 37세인지 나를 규정하는 숫자들에 혼란해하는 나는, 아마도 크게 다른 시대를 살아가겠구나. 그러게, 어미가 된 나는 정녕 만 앓이 중이다.

3. 사육신 공원

지나고 보면 누구나 예뻤던 시절이라는 이십 대, 나는 노량진이라는 회색 섬에서 지냈다. 새벽녘 기상스터디를 함께 하는, 얼굴만 아는 사람들과 맞대며 살아가는 곳. 400명을 수용하는 강의실에 600명이 앉아 있는 곳. 밤만 되면 술집이 북적이고, 길거리에는 삶의 고단함에 취해 비틀대는 사람들이 가득한데, 누군가는 츄리닝에 삼선 슬리퍼를 신고 뿔테안경 너머 작은 단어장을 외다 말다 하며 걸어가는 곳. 임용시험을 준비하던 나는 자그마치 6년, 거센 풍랑의 바다 한가운데 외딴 섬. 그런 노량진에 살았다.

한 번은 대학을 함께 다닌 다른 과 친구들과 모임을 가졌다. 이대로 가다가는 인간관계가 다 끊어지겠다 싶어 간만에 단장하고 나섰더랬다. 가로수길 어느 베트남 요릿집에서 그들과 만났다. 주식, 월급, 승진 이야기가 가득한 가운데서 나는 그저 앉아 있었다. 이번 추석 때에는 유럽에 다녀올 예정이라던 누군가의 이야기에 우와- 하며 웃었다. 어느 한 이가 해외여행 중 어디가 좋았냐는 질문을 돌렸다. 거짓 웃음이 들켰나 싶어 뜨끔했던 나는 “아, 저는 미국이 참 좋았어요.” 하고 답했다. 스물여덟이었다. 나는, 그때까지 단 한 번도 해외여행을 가본 적이 없었다.

그 시절 웬만한 이십 대 후반은 괜찮은 직장에서 적당한 급여를 받으며 사람과 마주하고 자기 삶을 만들어가는 것이 ‘정상’ 범주였다. 그에 비하면 나는 비정상적인 소외자였고, 그들은 알고 나는 모를 이야기에 끼어들 수 없었다. 용기 내 나의 삶을 늘어놓으면 “아아- 어떡해요, 힘드시겠어요.” 공허한 리액션만 돌아와서는 한참 정적이 이어졌다. 어쩌면 가벼울 수 있었던 그 자리를 불편하게 만드는 나는, ‘불온한 존재’였다.

그날 집으로 돌아오던 360번 버스 안에서 나는 숨죽여 울었다. 나는 그들과 등급이 달랐고, 정리하자면 보다 미천한 취준생 그 이하였다. 사회적 약속이 만든 안정된 울타리에서 배제되는 느낌은, 커나갈 나의 아이가 절대 경험하지 않았으면 좋겠을 만큼 불쾌한 것이었다. 심지어 앞으로 언제까지 여기서 고립되어 살아갈지 모르겠다는 생각까지 미치면, 이로 형용할 수 없는 공포감에 사로잡혀야 했다.

임용 시험을 준비한다는 것은 삶에서 겪어 온 여느 입시와는 비교할 수 없을 정도로 불안정함의 소용돌이였다. 어느 해에는 11월 시험을 앞두고 9월 중순이 넘어서야, 올해 몇몇 교과의 교사를 단 한 명도 뽑지 않겠다는 발표가 나왔다. 교육부의 티오 발표가 있던 그때, 노량진 곳곳에서 울음소리가 울렸다. 그해 1월부터 창원에서 올라와 먹을 것 못 먹고 입을 것 못 입어가며 고학했던 조교 언니의 홉뜬 눈이 아직까지도 잊히지 않는다. 언니는 전국에서 한 명도 뽑지 않았던 그 과목의 시험을 준비했었다. 인생의 소중한 1년이 통째로 사라진다는 것은, 사회적으로는 몇 해를 뒤로 걷는 셈이었다. 이때를 계기로 6월 중 가 티오를 발표하는 제도가 생겼다. 그래, 한 해보다야 반년만 고생하는 것이 낫겠지 하며 위안하라는 거다.

고시생의 건강은 굉장히 급진적인 속도로 나빠졌다. 오토바이 매연을 뒤집어쓴 컵밥을 먹고 온종일 앉았으니 위염이니 역류성 식도염이니 뭐든 속이 뒤집어졌다. 어깨는 굽고, 등은 휘고, 허리는 뒤틀어졌다. 마음은 더했다. 나는 안되는 사람. 나는 떨어지는 사람. 나는 탈락하는 벌레. 교사가 되고자 준비하는 시간인데, 교사가 되면 안 될 사람이 되어버리는 경우가 부지기수였다. 멈춘 자신이 불쌍하고 처량해진다. 지나고 보면 안 힘든 세월이 어디 있겠느냐마는, 이십 대 '답지' 못했던 그 기간, 나는 아무것도 좋아하지 못했고 모든 것을 검게 보는 모난 습관이 생겼었다.

그러다, 시험에 붙었던 마지막 그 해였던 것 같다. 나는 교육학 과목

시험을 준비하는 스터디에 참여했다. 관련된 주제를 자기화하여 공부하고 서로 문제를 출제하여 확인하는 형태였다. 스터디에는 마흔 살, 국어 임용을 준비하는 선생님이 함께했었다. 선생님은 기간제 교사를 꾸준히 하면서 매년 임용을 치러왔다고 했다.

나는 국어쌤이라 불린 그 선생님을 크게 의지했다. 국어쌤은 오랜 시간 시험을 준비해서였는지 모르는 것이 없어 보였다. 교육학 강사의 수업을 듣고도 이해하지 못했던 어려운 평가 이론을 자기 경험에 빗대어 설명해 주실 때에는 "와, 선생님은 임용 학원 강사들보다 낫네요!" 스터디원 모두가 입을 모아 경탄했다. 나는 그녀의 기품 있는 웃음을 특히 좋아했는데, 입꼬리만 살짝 올려 모두가 편히 여길 폭신한 미소를 지을 줄 알았다.

어느덧 여섯 번째 시험을 치르게 된 나도 만만찮은 장수생이었다. 이쯤 되니 스트레스가 극에 달할 때 하면 좋을 행동 몇 정도는 가질 수 있었다. 오락실 노래방에서 노래 열 곡 부르기, 평소에 입지 못할 예쁜 옷 입고 대학가 걷고 오기, 서바이벌 프로그램 보며 펑펑 울기. 그중에서도 내가 가장 좋아했던 건 길 건너 사육신 공원 꼭대기에 서서 노을 진 한강을 바라보는 것이었다.

나는 국어쌤에게 사육신 공원을 소개해 주고 싶었다. 어느 주말, 시간을 내달라 조르고 졸라 국어쌤과 공원을 찾았다. 의외로 가파른 짧은 입구 길을 오르면서, 숨을 고르던 선생님은 잠시 입을 앙다물더니,

"역사쌤, 나는 여섯 살 된 우리 아이에게 멋진 엄마이고 싶었어요. 마흔 돼서도 공부하고 있을 줄은 상상을 못 했지, 뭐야?"

라고, 말했다. 떨리는 말끝에 놀라 고개를 돌리니, 붉어진 눈시울 아래로 내가 그렇게나 좋아하던 선생님의 미소가 보였다. 벤치에 앉아 소주를 까고 자갈치 과자 봉지를 터뜨렸다. 손에 힘이 빠졌는지 영 뜯어지질 않았다. 국어쌤은 과자를 달라며 오른손을 내밀었고, 나는 눈을 맞추지 못한 채 선생님에게 봉지를 건넸다. 선생님이 봉지 중앙의 줄기를 잡고 양쪽으로 잡아당기자, 깔끔하게 뜯겼다. 일회용 종이컵에 가득 따른 소주를 한입에 털고, 쓴맛에 눈을 찌푸리며 국어쌤을 보니, 선생님의 고르고 하얀 치아 위 물기가 석양빛을 받아 반짝였다.

"나는 가끔 선생님처럼 스물아홉이면 참 좋겠다고 생각해. 붙어도 서른밖에 안 되잖아."

나는 아무런 말도 하지 못했다. 어린 시절이라 고를 말도 잘 떠오르지 않았었지만, 사실은 무엇보다 '마흔인 국어쌤도 있는데 뭘' 하며 스스로를 위하던 나의 천박함을 들킨 것 같아 부끄러웠기 때문이다. 나는 국어쌤에게 많은 것을 의지했다. 선생님의 박식함이 좋았고 차분함을 배우고 싶었고, 그러면서도 그래도 내가 선생님보다는 상황이 낫다고 생각하며 선생님을 만났다. 불온한 한센인들이 아웅다웅 모여있는 임용 판 소록도에서, 끝자락이지만 이십 대에 걸쳐 있는 나의 급을 높이고, 사십 대에 들어선 다른 이의 급을 낮추는 걸로 위로받는 혐오스러운 존재, 그게 바로 나였다.

"역사쌤, 나는 아마 올해 못 붙으면 이제 마지막일 것 같아요. 마흔이잖아."

그런 나에 비해, 한참은 어린 치에게 본인의 속을 내보이며 불안함을 공유해준 국어쌤은 정녕 어른이었다. 나는 얼굴이 벌게져서 한참을 울었다. 국어쌤은 아무 말 없이 나를 안아주고, 묻지 않고 계속 '이해해요, 괜찮아요' 하며 토닥여 주었다. 마흔에 다다른 지금 생각해 보니, 선생님은 나의 이 못된 생각을 알았던 것 같다. 그런 생각할 수 있어 쌤, 이해해. 나는 괜찮아. 그런 뜻이었던 게다.

아이와 약속한 시각이 되었다며 급히 내려가는 국어쌤의 뒷모습을 보면서, 나는 다시 울었다. 나이가 뭐라고, 임용이 뭐라고 사람을 이렇게 치졸하게 만드는 것인지. 그러다가, '만약 떨어지게 되면 서른의 무직자인 나는 어떻게 살아가야 하지? 적어도 국어쌤은 결혼해서 아이를 낳았으니 인생 과업은 이룬 것이 아닌가?'까지 가버리는, 끝없이 졸렬한 비교에 들어선 내 바닥이 너무 미워 또 울었다.

얼마나 시간이 지났는지, 으슬한 저녁 공기에 옷을 다시 여미고는 어둑한 한강을 바라봤다. 찬 기운에 눈물길이 난 볼이 따가웠다. 갑자기 엄마가 보고 싶어 엄마에게 전화하고, 저녁때가 지났으니 밥을 먹자며 엉덩이를 털고 일어났다. 입구쯤까지 내려왔다가, 아무 생각 없이 오르던 사육신 공원 돌계단을 다시 오르며 숫자를 세었다. 하나, 둘, …… 서른아홉, 마흔. 마흔 번째 계단에 멈춰 섰다.

천천히 고개를 들어 위를 바라봤다. 아찔한 느낌, 아직 한참 남았다. 아, 이게 마흔이구나. 울컥했다. 내가 도대체 무슨 짓을 한 것일까. 한심해 견딜 수가 없어 주저앉았다.

1차 시험 이후 우리는 서로에게 연락하지 않았다. 그런 곳이 노량진이었다. 스치는 것을 스치도록 두는 곳. 아마도 붙었기에 혹여나 하는 미안함으로 안부를 묻지 못했으리라 긍정적으로 생각해 본다. 선생님에게는 딸이 있었다. 지금은 무엇을 하시는지, 딸은 잘 컸는지. 십 년이 지나가서야 궁금해져 죄송할 따름이고, 그래서 내가 인제야 마흔이 가까워졌구나 한다.

4. 사회생활

나는 서른 살이 된 그해 3월부터 일을 하기 시작했다. 그래서인지 스물아홉 마지막 노을과 서른으로의 해넘이를 잊지 못한다. 친구가 카톡으로 보내준 박상민의 '서른이면'이라는 노래를 배경음악으로 깔고, 잘 마시지도 못하는 와인을 입에 털어 넣으면서 제야의 종소리를 들었다. 청승 그 자체! 눈물을 한 바가지 흘리며 해를 넘었다.

서른이면 나도 취직해서 장가를 갈거라고 생각했지
돌아보면 다시 같은 자리, 시간은 너무 빨리 흘러갔어
내 집 사려고 모아둔 통장엔 몇 푼 안 된 돈만 있는
많은 고민들로 복잡한 머리와 수많은 기대가 나를 억누르고
터질 것만 같은 답답한 마음은

서른이란 나이가 너무 빨리 온 거야

가사가 이런 식으로도 심금을 울릴 수 있구나. 굉장한 노래라고 생각했다. 보통 가요는 우울하게 시작하더라도 끝에서는 희망을 찾는 경우가 많지 않은가. 이 노래는 달랐다. 처음부터 마지막까지 계속 바닥을 긁는다. 듣는 내내 '뭐 그래도 괜찮아, 집 없어도 돈 없어도 나는 희망이 있어.' 따위의 상투적인 후렴이 따라 나오길 기다렸지만, 노래는 그런 내 바람을 가볍게 무시한다.

화자의 의도가 그런 것이었을지는 모르겠지만, 덕분에 이미 내려앉은 마음이 한층 더 무거워졌다. 나는 그 당시 1월 초 발표될 1차 시험 결과를 기다리는 중이었다. 임용 시험은 1차 지필 시험에 붙어야 2차 시험인 면접과 수업 실연 평가를 받을 수 있었다. 그러니 새롭게 맞이하는 1년의 내 인생이 어떻게 흘러갈지 알 수 없었고, 아무런 계획도 세울 수가 없었다. 내 삶을 내 스스로 예측하고 설계하는 것이 불가능한 상황, 다른 이의 손이나 어느 날의 클릭 한 번에 내가 무엇을 하고 살아가야 할지 결정 당해야 하는 인생이란 멀리 내다보기 여간 어려운 것이다.

아무리 따라내려고 해도 나오지 않는 마지막 몇 방울의 와인이 와인병 안에서 계속 맴돌았다. 분명 술이 남아있는데, 건너편에 앉은 남동생은 빈 병 갖고 뭐하냐 물었다. 불투명한 병이 만든 세상, 존재하고 있지만 없는 것만 같은, '서른이란 나이가, 너무 빨리 온' 나 같다 싶어 병 속에 남은 와인을 빼내려고 안간힘을 썼었다.

답답해서 결국 남은 소주병을 꺼내오고, 그래서인지 잘 기억도 나지 않는 1월 1일을 지났다. 그리고 열흘 정도 지났을까, 기적과도 같이 1차 시험에 붙었고, 또다시 열흘 정도 뒤에는 2차 시험을 보았으며, 그리고 열흘 뒤, 연이어 최종 합격을 덜컥 얻어냈다. 무려 여섯 번째 시험만이었고, 드디어 제대로 된 일을 하는 사회인의 대열에 들어갈 수 있었다.

사실 이번에 떨어지면 죽어야겠다고 생각했었다. 스물여덟에서 아홉으로 넘어가던 첫 사회생활 이후 다짐했던 것이다. 서른이 되어도 붙지 못하면 죽겠다는 심산으로 공부하자고. 그때 나는 노량진의 어느 학원 강사의 연구실에서, 연구원이라는 직함으로 일하고 있었다. 하루 2시간씩 주 4회, 8시간을 근무하는 조건으로 월에 50만 원을 받았다. 끽해야 방과 후 강사, 시간 강사만 몇 번 하며 한 시간에 몇만 원 쥐어본 정도였던 나는, 내가 얼마 정도를 받아야 적정한 금액인지를 몰랐다. 그저 하는 일에 비해 적긴 하다, 생각만 하고 말았다. 새벽녘까지 직접 정리하고 스스로 집필했던 책에 나의 이름을 단 한자 실을 수 없다는 것을 듣고도 한참을 더 일하다 관둘 때까지 일곱 달, 총 사백을 받았다.

강사는 내가 아니었다면 책이 나올 수 없었다며 책이 출간된 그달에만 20만 원을 더 줬다. 연구실에 나갔던 나흘, 나오지 않은 날은 집에서. 하루 2시간의 기준은 온데간데없이 아침에도 낮에도 밤에도 교재를 쓰고, PPT를 만들고, 질문에 답변을 달았다.

"아유, 우리 선생님. 퇴근하시지, 왜 퇴근을 못 하시고. 너무 바쁘시네. 죄송해라."

원하면 재수 종합반 자리 하나를 해주겠다며 변죽만 울리던 강사는, 임용 때문에 그만두어야 할지도 모르겠다는 내 말에

"아쉽지만 어쩔 수 없지요."

라 하더니 공고 하나만 올려달라 했다. '가족같이 일할 연구원'을 초대한다고. 내가 읽고 찾아왔던 그 글을 그대로 타이핑하여 업로드했던 그날, 나는 밤 11시가 다 되어 퇴근할 수 있었다.

나오는 길에서는 면접 때 나와 동갑이라며 살갑게 굴었던 윤 실장과 마주쳤다. 작은 키에 딴딴한 체격, 보기 좋은 웃음을 짓던 그는 노량진 바닥서 모르는 사람이 없을 정도로 마케팅 능력이 좋다고 했다. 실장은 골목 한편에 기대서서 담배를 피우고 있었고, 나는 힘이 풀린 다리로 운동화를 끌며 그 옆을 지나갔다.

"아, 송 선생님."

다 태운 담배를 바닥에 던지고 굽이 꽤 높은 구둣발로 서너 번 비비더니, 그는 대뜸 그랬다.

"사회생활이 쉬운 줄 알았어요?"

타야 했던 부평행 급행 막차를 놓칠까 봐 잰걸음으로 노량진역까지 가는 길, 나는 모멸감에 죽어버리고 싶다고 생각했다. 그저, 남들과 다른 시계로 살아왔을 뿐이었다. 그 누구도 나를 무시할 권리는 없을 것

인데, 그때는 내가 시험에 붙지 못해 이런 설움을 겪는구나 싶었다. 그래, 임용에 붙자.

짓이겨지던 꽁초를 떠올리며, 몇십번은 읊조렸다. 안쓰럽게도.

서른이면, 붙을 거다. 나는 붙는다.

붙지 못하면 죽어버릴 거다.

5. 번아웃과 취미

다행히, 나는 살아남아 서른으로 넘어올 수 있었다. 쉽지 않은 이십 대를 마무리했다는 것만으로도 나는 내가 참 대견했다. 합격과 함께 맞이하게 된 서른이 -이 극적인 나이 30세가 실은 만 28세라 생각해 보라. 나의 인생 드라마를 추동하는 힘이 훅 빠져버리지 않겠는가. 그래서 만 나이법에 영 마음이 가질 않는 것일지도 모르겠다- 참 좋았다. 고마운 서른에 대한 보답으로, 나는 삼십 대의 나를 판이하게 만들고자 최선을 다했다. 오늘에 충실했으니, 내일이 오는 것도 반가웠다. 하루도 허투루 쓰고 싶지 않았다. 교사로서도 사람으로서도 살아가는 모든 시간에 진심을 다하고 싶었다.

그런데 그러자니 어느새 몸이 축나기 시작했다. 주말 이틀을 온전히 휴식한 때가 손에 꼽혔고, 잠을 제대로 못 자고 말을 쉬지 않고 해야 하는 직업이라 목 상태가 말이 아니었다. 녹록지 않은 사회생활 속에서는 사실 몸이 힘든 것보다 마음이 다칠 때가 많았다. 무릎 위에 올라오는 치마를 입는다며 면박을 주거나, 손톱에 네일아트를 받아서는 안된다며 정기적으로 손가락을 검사하거나, 본인이 속한 교원 단체에 나를 강제로 가입시키는 상사들이 있었다. 시험 문제에 어느 민주화 운동 사료를 냈다고 '빨갱이' 단어를 올리며 2시간을 면담 당해야 했던 그런 날에는 숨이 막혔다. 차년도 업무에 관해 이야기를 하자기에 내려갔더니 "선생님은 어려서 아는 게 없고, 그래서 용감한가 봐?" 비아냥거리는 말도 들었다. 달려들어 싸웠다가 이제는 내가 믿고 의지하던 동료들 사이에서조차 나에 대한 뒷말이 돌았다.

여섯 번의 시험만큼, 딱 6년을 더 일하고서. 그쯤 되니, 그렇게나 좋아했던 학생과의 상담 시간이 두려워졌고, 매번 즐겁게 하던 수업도 그만하고 싶어졌다. 점심시간마다 동료 선생님과 운동장을 몇 바퀴 돌며 산책하곤 했는데, 그래 놓고서는 뒤에서 나에 대해 안 좋은 이야기를 하는 것은 아닌지 의심했다.

아, 이대로 가다가는 내가 그토록 오랜 시간 되고자 했던 직업, 좋아해서 열심였던 나의 일을 영영 잃을 수도 있겠구나! 그렇게 번아웃(burnout)이 왔다.

번아웃은 어떤 직무를 맡는 도중 극심한 육체적/정신적 피로를 느끼고 직무에서 오는 열정과 성취감을 잃어버리는 증상을 통칭한다고 한다. 딱 그랬다. 나는 학생 및 동료 교사들과의 관계가 피로했고, 교사로서의 열정과 성취감은 전혀 느끼지 못했다. 학교가 오고 싶어 지난한 길을 힘겹게 걸어왔던 내가, 학교가 싫어진다니. 상상조차 못 했던 상황에 나는 어찌할 바를 몰랐다. 수업과 학급, 업무까지 모든 분야에서 문제가 생기기 시작했고, 그럴수록 더 큰 압박을 받았다. 그중 어느 날 이런 나를 안타깝게 지켜보던 동료 영어 선생님이

"쌤은 취미가 뭐야?" 하고 물었다.

"취미? 나 그런 것 없는 것 같은데." 실제로 그랬다. 나는 취미가 없어서 취미를 묻는 질문이 가장 답하기 어려웠다.

"그럼 쉬는 주말에 뭐 해?"

"주말엔 보통 수업 준비하고, 학생들이랑 할 행사 정리하고. 그랬던 것 같은데?"

"수연쌤. 그런 거 말고. 쓸데없이 시간 보내는 그런 것들, 안 해?"

쓸데없는 것. 그러니까 쓸모를 따지지 않고, 그냥 하는 것. 취미는 그런 것이라 했다.

동영상 하나를 봐도 이전에 살폈던 목록에 따라 새로운 영상이 채택되어 재생되는, 다양한 주체들의 의도와 동기, 지향이 혼잡하게 얽힌 이 사회에서, 그 어떤 목적 없이 그저 '내가 재미있어서' 하는 유일한 행동. 그런 취미가 있어야 숨을 좀 돌린다는 것이다. 그러고 보니 일을 시작하고 나서는, 시간이 있을 때마다 반드시 의미 있는 행동을 해야 한다는 강박이 있었다. 간절하게 바라던, 좋아하는 일을 업으로

삼다 보니 쉼과 뭠의 밸런스를 고민하는 것이 사치라는 생각이 강했다. 그래서 힘들었어도 힘들다고 말하는 것이 두려웠고, 일과 관련 없는 무언가를 하며 시간을 보낼 때면 눈치가 보였다. 오랜 시간 희망했던 일이니, 감내해야지 싶었다. 그래야지만 내가 선택한 나의 길이 정당화될 수 있다고 여겼다. 그러니 숨을 곳이 없었고, 결국 소진되고 말았다.

나도 참. 당연히 지칠 수밖에 없도록 살아왔구나.

깨달아야 할 걸 너무 늦게 깨달은 서른여섯. 이제라도 바로잡아야겠다는 생각에 나는 회사에 휴직을 신청했다. 그리고선 일이 바빠 미뤄두었던, 아마도 내게 '취미'가 될 수 있는 것들을 하나하나 적어보기 시작했다. 다이어리 첫 장에 붙여둔 이 취미 리스트(일명 〈번아웃 극복 프로젝트 - 쓸데없이 살기〉)는 계속해서 바뀌고 삭제되고 고쳐지고 있다. 말 그대로 당장 하고 싶은 '쓸모와 상관없는 행동'이다 보니, 그때 그때의 나의 요구를 최대한 반영하는 것이다.

그렇게 선택한 휴직이 벌써 5년째. 그사이 나는 학위 공부도 하고, 임신했으며, 출산도 하고, 그리고 그동안 쓸데없다 생각해서 하지 않았던 일들도 조금씩 해왔다. 아침에 일어나자마자 스트레칭을 했고, 수업과 관련되지 않은 책들도 찾아 읽었다. 좋아하는 시를 읽으며 필사도 해보고, 웹툰을 좋아해서 웹툰 시나리오도 혼자 써 봤다. 최근에는 어렸을 때부터 '연애 이야기'를 하고 듣는 걸 좋아했다는 걸 발견하고는, 나만이 보는 블로그에 연애와 역사를 연결한 글을 몇 편 습작하고 있다. 비록 퇴고하지 못한 거친 초고라 포스트로 발행하지 못하고 있지만 다듬고 다듬어 나중에는 책으로 발간해 보고 싶다는 작은 꿈도 생겼다.

작사가 김이나는 정답이 보장된 취미 활동을 하나씩은 가져두면 좋다고 했는데, 정답을 달성하고 얻어내는, 마치 멱살을 쥐고 흔드는 것 같은 칭찬들이 삶을 이어가는 동력이 될 수 있기 때문이라 했다. 반드시 칭찬을 얻을 수 있다는 예정됨의 힘은 생각 이상으로 컸다. 필사 노트를 한 권 빼곡히 채웠을 때, 하루도 빼먹지 않고 자기 전 스트레칭에 성공하고 체크했던 한 달, 누군가가 나의 블로그 글을 읽고 다음 글을 크게 기대한다며 달아주신 댓글. 그것들은 고래처럼 나를 춤추게 했다!

물론 성공하지 못한 것들도 많다. 태블릿PC를 활용해 메신저 이모티콘 만들기도 도전하고는 있지만, 그림에 소질이 없어 여간 어려운 일이 아니었다. 작사 공부가 하고 싶어서 작사 학원까지 등록했는데, 육아를 핑계로 아직 첫 강을 시작하지 못한 상태다. 피아노를 쳐보겠다고 몇 날 며칠간 유명하다는 전자 피아노를 서칭, 장바구니에 담아두고는 벌써 2년째다.

하지만 나는 시작했지만 달성하지 못한 나에 관해 딱히 스트레스받지 않는다. 이건 취미 리스트를 만들어 나갈 때부터 스스로 약속한 것이다. 당장 하고 싶은 걸 한 번씩 해보는 것만으로도 충분히 가치롭다 여길 것. 쓸데없는 행동으로 나를 쉬게 하는 것이 목적이었던 만큼, 어떤 것을 하고 하지 않더라도 나를 응원해 주도록 할 것.

마음이 편해지니 삶의 가치를 이루는 방법에 대한 생각도 많아졌다. 교사 생활 중의 나는 내가 부정의하다 생각되는 것들에 굉장히 빡빡한 사람이었다. 첫 사회생활, 잘못된 대우에도 아무 말 하지 못하고 속으로 분을 삭혀야 했던 그 순간이 트라우마처럼 남아있었나 보다. 그래서 잘못된 것은 누구라도 바로잡아나갈 수 있어야 한다고, 그래야 사회가 조금이라도 나아질 것 같다고 여겼던 것 같다.

그런데 취미 중의 하나인 명상을 하며 내면의 깊숙한 이야기들을 목도하니, 상대방에게도 어쩔 수 없는 입장이 있었을지 모른다는 생각이 들기 시작한다. 다른 이가 나를 이해해 주지 않을 때는 그리 서운해하면서, 왜 역지사지의 상황은 생각해 보지 않았을까. 그 사람이 그렇게 말했던 것에는 그래야만 했던 이유가 있었을 수 있었다. 나 역시 매번 올바른 선택만 해낼 것이라는 보장은 없었다. 보다 넓고 높게 상황을 바라볼 줄 알아야 하겠다. 삶에 부끄럽지 않게 걸어가면서도, 더불어 살아감을 이해하고 유연해지는 것이 필요하겠다 싶어졌다.

중국의 사상가 양계초는 '무릇 사람들이 반드시 취미 속에 살아야지만, 생활이 비로소 가치 있을 것'이라 했다. 혹시 번아웃을 겪고 있다면, 그렇지만 그 일이 자신에게 큰 의미를 지니고 있는 것이기에 관두고 싶지 않다면, 그게 아니더라도 나의 일상이 의미 있는 흘러감이 되었으면 좋겠다 여긴다면. 나는 당신에게 '취미'를 만들어볼 것을 적극적으로 권장한다. 취미는 내가 좋아하는 것이면 그만이다. 좋아하다 싫증 나면 그만두어도 괜찮다. 반드시 이어가야 할 필요도 없다. 좋아하는 것이 너무 많다고? 호기심으로 산만하게 사는 것은 취미가 없어 쉼답게 쉬지 못하는 것보다 낫다. 여기서 '좋아함'은 거창할 필요가 없다. 좋아하는 것이 뭔지 모르겠다면, 쓸데없지만 하면 즐거우리라 생각되는 것들을 이것저것 다 해보자. 그러다 보면, 내가 진짜 좋아하는 것, 쓸모와 관계없이 나를 행복하게 하기에 지속적으로 하는 나의 '취미'가 무엇인지 말할 수 있게 될 것이다.

가열차게 달리다 체력과 열정 모든 것이 바닥 난 서른에서 너다섯까지를 지나서, 삼십 대 후반을 통해 번아웃을 극복하는 지혜를 획득하게 된 나는, 이제 명백히 사십 대에 들어설 내년쯤 복직할 생각이다. 이미 나를 즐겁게 할 비목적성의 취미들이 충분하게 목록화되어 있고, 스쳐 지나가는 작은 호기심도 놓치지 않고 실천하는 배짱이 생겼다. 마흔부터 시작될 나의 사회생활 시즌 3은, 그렇기에 지금까지와는 분명하게 다를 것이다.

6. 좋을 나이, 마흔.

좋아하는 부모님의 사진이 있다. 여행 중 찍은 사진을 인화한 것이었는데, 목제 침대에 팔을 괴고 누운 아빠와 그 옆에서 싱그럽게 웃고 있는 엄마의 모습이 담겼다. 당시 테니스를 치셨던 두 분의 까무잡잡한 피부 때문인지 한층 더 건강한 색감이 돋보이는 사진이다. 초록색 피케이 나시티를 입고 있는 엄마는 귀여운 알 귀걸이를 하고 있었다. 아빠의 반달눈 아래 놓인 옅은 피치 톤의 침구류에서는 폭신한 냄새가 나는 것 같았다. 체리 색이라고 하던가? 옛날 인테리어에 많이 쓰이던 채도 높은 우드톤이 사진 전체를 감싸 주황빛이 났다. 엄마 아빠의 마흔이었다.

부모가 마흔일 때, 나는 중학생이었다. 사십 대의 엄마 아빠는 나의 진한 사춘기를 함께 앓았다. 나는 좋아하는 아이돌을 쫓아다녔고, 밤에는 잠을 설쳐가며 소설을 읽었다. 학교 수업 시간에는 너무 대놓고 졸아서, 당시 담임 선생님이 엄마한테 전화해 혹시 두 분 매일 밤 싸우시느라고 애가 불안해서 잠을 못 자냐고 물었을 정도였다(지금 생각해보면 너무 무례한 전화였다고 생각한다). 내가 첫딸이니 엄마 아빠도 겪고 있는 모든 일이 처음이었을 것이다. 그러니까 엄마 아빠의 마흔은 나의 중2병과 함께 했던 셈이다.

엄마는 흔들리는 나를 걱정했지만, 그렇다고 나를 크게 다그치거나 혼내려고 하지 않았다. 그 대신 엄마는 새벽 네 시에 일어나 책이나 신문을 읽으며 하루를 시작하는 습관을 들이기 시작했다. 그때 내 방의 위치가 엄마가 앉은 식탁의 바로 뒤편, 부엌 옆방이었다. 구축 아파트인지라 아귀가 잘 맞지 않았던 문지방과 문 사이 틈으로 엄마가 진하게 내린 맥심 알 커피의 향이 스며들어오곤 했다. 그러면 밤새 컴퓨터를 쓰며 놀다가도, 전원을 끄고 침대에 눕거나 엄마를 따라 책을 펼치곤 했었다. 엄마는 나의 방에 들어오지 않았고, 나는 엄마가 그럴 것을 알았다. 그러나 행여라도 제자리에서 벗어난 나의 모습을 새벽을 깨운 엄마가 보지는 않았으면 하는 마음이 있었다. 부끄러웠던 것 같다. 결국 엄마가 삶으로 보여준 기다림은, 나에게 백 마디 말보다 강력한 훈육이자 교육이고 사랑이었다.

사춘기 딸내미의 가혹한 성장 서사에 다이내믹했을 엄마 아빠의 마흔과는 달리, 나의 마흔을 함께 하는 우리 아이는 이제 겨우 한 살을 먹는다. 서른여덟의 11월, 우리는 시험관 시술을 통해 이 아이를 만났다. 난임 병원을 찾아가 난임 진단을 받고 나서, 나이가 있으니 바로 시험관 시술을 해보자는 이야기에 덜컥 시작했었더랬다. 호르몬제를 투여하여 과배란을 유도하고, 열 몇어개까지 자라게 한 난자를 긴 바늘로 채취한다. 이후 체외에서 인공 수정을 시키고, 키워진 배아를 자궁에 착상시키는 시술을 시행한다. 처음 난자를 채취할 적에는 너무 많은 숫자의 난자를 몸에서 떼어내다 보니 온몸에 복수가 가득 차오르고, 영문 모를 출혈까지 생겨 응급실을 전전하며 죽을 고비를 넘기기도 했다. 난임 치료를 받은 지 1년 반, 체중은 15킬로가 늘었고 머리가 깨질 것 같은 두통은 매일 함께였다.

그렇게 이식한 배아가 착상에 성공하면, 임신테스트기에는 '두 줄'이 뜬다. 우리가 만난 첫 두 줄. 나는 이 친구에게 두줄이라는 이름을 붙이고, 매일 이 친구의 안전을 확인했었다. 두줄이는 처음 우리와 만났던 날부터 일주일 넘게, 본인이 이곳에 있음을 알렸다. 그러던 13일 차에 갑자기 두줄이가 옅어졌다. 나는 하루 종일 아무것도 하지 못했다. 발을 동동 구르다가, 근처 산부인과에 갔다가, 집에서는 화장실을 갈 때만 빼고 계속 누워 있었다. 그리고 다음 날, 나는 더욱 희미해진 두줄이를 보면서 주저앉아 울었다. 유산을 막기 위한 주사가 있다는데, 그걸 맞았으면 두줄이가 살아 있어주지 않았을까 몇번을 생각했다. 이처럼 제대로 착상되지 않고 흘러가는 배아는 어차피 유산될 배아라는 간호사 선생님의 이야기도, 화학적 유산이라 불리는 이런 건 유산으로 치지도 않는다는 맘카페의 댓글도, 아무것도 보이지도 들리지도 않았다.

이후 몇 번의 이별이 더 있고, 지금의 아이와 만났다.

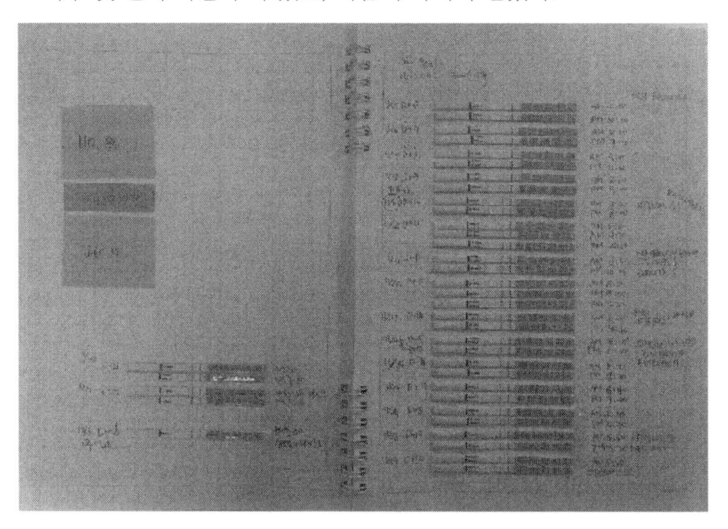

아이는 처음부터 두줄이보다 훨씬 진한 색으로 우리에게 다가왔다. 두줄이를 잃었던 그때가 생각나서 나는 하루에도 몇 번씩 아이가 잘 있는지 확인했다. 내가 할 수 있는 것이 아이에게 편안한 환경을 만들어주는 것이라는 생각에, 아이의 심장 소리가 확인되는 6주까지는 아무 데도 나가지 않고 누워만 있었다. 감사하게도 아이는 굉장히 건강한 친구였다. 뱃속에서부터 효자였고, 태동도 활발했다. 나는 흔한 입덧 한번 없었고, 체중도 크게 늘지 않았다. 임신성 당뇨여서 식단을 조절해야 하긴 했지만, 덕분에 아이가 커나가는 동안 몸을 건강하게 유지할 수 있었다. 아이는 소위 말하는 순둥이로 태어난 지금까지, 모든 것에서 순탄했다.

서른아홉에 만난 아이는, 사실은 15일 만에 사라진 두줄이의 동생이었다. 나는 두줄이를 보낸 서툴고 부족했던 나와는 달라져야만 했다. 태어난 아이를 지켜줄 수 있을 만큼 강해야 했다. 이전과 다른, 보다 든든한 버팀목이 되어야 했다. 그렇기에 마흔이 되기를 더 고대했던 것 같다. 마흔이면, 고시 생활에 고립되어 막막하기만 했던 이십 대와 나에게 필요한 것이 무엇인지도 모르고 조절 없이 달리다 탈진되었던 삼십 대가 아닌, 마흔이라면 나의 아이에게 멋진 엄마가 될 수 있을 것 같았다. 나에게 마흔으로서의 시작은, 이전의 당당하지 못했던 나, 엄마가 되지 못했던 나와의 결별을 뜻했던 것이다.

그래서 마흔일 줄 알았는데 마흔이 아니게 되었을 때, 나는 적잖이 당황했었다. 돌이켜보니 나에게는 삶의 궤적이 완전히 다른, 엄마로서의 내가 시작되는 화려한 출발선이 필요했던 것 같다. 사실 스물의 나도, 서른의 나도, 앞으로 계속될 시간 속의 나도 모두 나인 것인데, 나는 왜 마흔이 지나면서 올 새로운 나에게 그렇게나 집착했던 것일까. 오랜만에 두줄이의 연한 두 줄들을 다시 들춰보며, 두줄이를 잃었다는 죄책감으로 그때의 나 스스로를 믿지 못해 야박하게 굴었던 것 같아 마음이 조금, 아니 많이 아렸다. 누구보다 두줄이를 지키고 싶었던 건 나였을 텐데 말이다.

결국, 어쨌든, 나는 마흔이기도 마흔이 아니기도 하다. 인생 후반전에 교체 투입하기로 했었다가 밀렸고, 연 나이로는 다시 서른아홉을 살아가야 하는 것 같기도 하다. 여기서 후반전이라는 말은 이제 경기 종료를 바라 보고 달린다는 의미였다. 나는 삶에 끝이 있음을 인식하고 남은 날을 계산하며 침착하고 안정되게 삶을 구성하는 어른이 되고 싶었다. 물론 마흔만 되면 모든 것이 다 리셋되고 새로운 생활이 펼쳐지는 그런 마술같은 일이 아니라는 것쯤은 잘 알고 있다. 아마 나는 마흔이라는 사회적인 기둥에 기대어 못마땅했던 나를 흘려보내고, 여느 훌륭한 엄마, 예컨대 나의 엄마처럼 아이에게 필요한 기다림을 해줄 수 있는, 단단하게 다져진 엄마가 되기 위해 노력하겠다는 선언이 필요했었던 것 같다.

아무튼 인생은 계속 흘러가서, 지금 잠시 마흔이 아니더라도 결국 다가올 마흔을 또 준비해야 할 것이다. 어차피 그럴 것임을 알고 있기에, 나는 카이로스의 시간에 살며 올해를 마흔으로, 그리고 다가올 내년에도 마흔으로 살아갈까 한다. 마흔이 주는 안정과 불안을 오롯하게 받아내면서, 보다 세상에 이로운, 그러면서도 건강하게 살아 나갈 방법을 탐색해 나가볼 것이다. 마흔 앓이, 마흔의 성장통, 마흔에게 전해지는 온갖 조언들은 결국 지난날들을 성찰하고 앞으로의 인생을 보다 장기적이고 체계적으로 설계할 수 있도록 자신을 신중하게 숙독해 내라는 뜻이었을 것이다. 아울러 아이와 함께하는 삶을 고민하게 된 나의 부모와 우리처럼, 지켜내야 할 것들에 대한 책임감을 점검할 것을 함의한 것이기도 하겠다.

그러니 나는 마흔을 충실하게 앓을 것이다. 앞으로 2년, 아니 어쩌면 그 이후까지 계속될 날들은 아마도 모두 마흔일지도 모르겠다. 시인 도종환의 말처럼, 흔들리지 않고 피는 꽃이 어디 있겠으며, 젖지 않고 가는 삶이 어디 있겠는가. 나는 앞으로도 계속 흔들리고, 젖고, 줄기를 세우며, 꽃잎을 열어가며 나아갈 것이고, 그것이 마흔인 나를 가득 채워갈 것이다. 신경증적인 침체와 심리적 지진이 가득한. 새로운 인생을 살아가고 싶어 스스로를 채찍질하는. 아이에게 자랑스러운 엄마로서의 삶으로 재구조화하는. 그런 마흔일 수도 있겠다. 무엇이 되었든 나는 나의 마흔다움을 위한 마흔 앓이를 끊임없이 응원하고 지지하려 한다.

그렇게
반드시 좋을 나이, 마흔이 될 것이다.

그때의 '나'로 회귀
(Return to then-myself)

유슬기

유슬기

싱가폴에 거주하며 IT회사 법무팀에 재직 중입니다. 낮에는 계약서를 쓰고, 밤에는 제 마음속 반짝이는 것들을 씁니다. 친구들 사이에서 심리 상담가 역할을 맡고 있습니다. 조용한 밤길에 달을 올려다보는 걸 좋아합니다. 종종 시간 여행을 합니다. 스쳐 지나가는 것들의 아름다움을 사랑합니다. 한국으로 다시 돌아갈 날을 기다립니다.

threads: @carrieurheart

blog: blog.naver.com/carrieurheart

서문 – 회귀하는 것은 아름답다

우리는 계속 시간 여행을 한다.

과거, 현재, 그리고 미래의 나에게로 회귀하는 시간 여행.

회귀하는 것은 우리에게 영감을 준다. 그리고 그 자체로 아름답다.

현재의 감정과 경험은 우리의 과거와 미래를 닮아 있습니다. 그것은 예를 들어, 처음 가 본 여행지에서 예전에 와봤던 데자뷔가 들거나, 먼 미래의 나에게 달려가 지금 이 순간을 그리워할 것 같은 노스탤지어라고 할 수 있습니다.

영감은 과거와 현재와 미래의 나를 만나는 일이 아닐까, 생각합니다. 내 감정을 관찰하고 내 안의 그때의 '나'로 회귀함을 알아차릴 때, 시간 저 너머에 있는 나를 만나고 그 속에서 영감이 생겨납니다. 매일 스쳐 지나가는 일상의 순간에도 작게 또는 크게 우리는 추억에 잠기고 미래를 꿈꾸며 영감은 계속 일어나고 있습니다. 그런 순간의 나의 모습을 소중하게 담을 수 있다면 우리 모두 아름다움에 가까이 다가갈 수 있지 않을까요?

과거, 현재, 미래에 있는 저의 모습과 그 시간의 감정들을 제 에세이에 정성껏 담았습니다. 어떤 부분이 언제의 '나'인지 알아차려 보면서 천천히 즐겨주세요. 그리고 각자 자신의 그때의 '나'를 꼭 만나보시길 기대하겠습니다. 읽는 이들도 회귀하는 것의 아름다움을 느낄 수 있길 진심으로 바랍니다.

당신의 그때의 '나'는 지금 어디쯤 있나요?

-겨울과 여름 사이에서

유슬기

5개의 동전

여행을 가면 우리는 모두 낯선 이가 된다. 새로운 곳에서 우리는 안 먹던 음식을 먹어 보기도 하고 다른 스타일의 옷을 입어 보기도 하며, 어쩌면 성격마저 바꿔 보기도 한다.

나는 사회화가 잘 된 내향형 인간이다. 베스트셀러 작가 사이먼 시넥은 내향인은 아침에 5개의 동전을 가지고 일어나고 외향인은 0개의 동전을 가지고 일어난다고 했다. 하루 종일 사람들과 소통하면서 내향인은 동전을 하나씩 소비하고, 외향인은 반대로 사람들에게 동전을 하나씩 얻는다고 했다. 하루가 끝날 때쯤 내향인의 동전은 소진되고 외향인의 동전은 가득 차서, 다음 날 아침이 되면 다시 각자 원상 복귀되어 하루를 시작하는 논리이다.

나의 아침은 아무래도 동전 5개와 0개 사이, 그래, 2.5개로 시작한다. 친구들은 내가 필요할 때만 내향인인 척한다며 놀려 대지만, 정확하게 말하자면 나는 외향인$_{\text{Extrovert}}$과 내향인$_{\text{Introvert}}$ 사이 그 어딘가에 있는 양향인$_{\text{Ambivert}}$이다. 종종 모르는 사람들이 가득한 홈 파티에 초대될 때면 나의 외향형스러움을 최대한 끌어올려 불태우고 그것을 보람찬 주말이라 불렀다.

회사에서도 나는 마찬가지였다. 회의 시간에도, 팀원들과의 점심

식사에서도, 나는 재잘재잘 내 동전을 사용했다. 쉴 새 없이 달려온 회사 생활에 지쳐 허덕일 때쯤, 회사에 가려고 지하철을 탔는데 눈물이 앞을 가렸다. 마치 인공 눈물에 의지하는 삼류 배우가 큐사인이 나기 무섭게 또르르 기계적으로 흘러내리는 그런 부류의 갑작스러운 눈물이었다. 그 길로 나는 반대편 지하철을 타고 다시 집으로 돌아갔다. 도무지 왜 울었는지 알 수 없지만 회사에는 못 나갈 것 같았다. 텅 빈 주머니에 손을 넣고 터덜터덜 집으로 가는 길에 괜스레 주머니 끝에 손을 쑥 넣고는 잡히는 것이 있나 만져보았다. 햇빛이 쨍해서 주머니 속에서 꺼내 펼친 두 손이 더 하얗게 비어 보였다.

며칠이 지나 금요일 저녁 식사 자리에서 눈물의 지하철 에피소드를 털어놓자, 눈이 동그란 친구 A가 빠따따스 브라바스(매콤한 토마토소스를 곁들인 튀긴 감자 스페인 요리)를 먹으면서 말했다. "넌 휴식이 필요한 거 같아, 회사를 관두는 게 어때?" 나는 감자의 네 귀퉁이 마지막 면에서 빨간 소스를 긁어내다가 흥미로운 주제가 나오자, 포크를 내려놨다.

"지금?"

"응, 항상 떠나고 싶다고 했잖아, 훌쩍 어딘가로."

"그랬었지, 근데 어디로 가야 할까…. 회사를 관둘 만큼 꼭 가야 하는 나라가 있을까?"

"글쎄, 어떤 나라에 가고 싶은데?"

"음… 혼자 살기 안전하고 예술적인 영감을 얻을 수 있고 사람들이 친절한 곳? 따뜻한 분위기를 원해. 뭔가 공부할 수 있는 것도 있으면 좋고.”

“이런 곳?” A가 양손을 들더니 접시를 돌리는 것처럼 허공에 돌리며 레스토랑 내부 인테리어를 큰 눈을 굴려 슬쩍 눈짓했다. 스페인 느낌이 물씬 나는 붉은색 벽지에 정사각형 반듯한 2인용 나무 테이블과 다리 끝을 동그랗게 굴린 철제 의자들. 따뜻한 조명 아래 좁은 간격으로 배치된 테이블 덕분에 오손도손 이야기 소리가 들렸다. “어 그래 이런 곳….” 무심결에 빨간 소스를 덜 긁어낸 감자를 먹고 놀란 내가 입을 가리며 웅얼거렸다. 생각보다 토마토소스는 달콤했다.

걸어가도 되는 거리를 얼른 택시를 타고 집에 오자마자, 신발도 벗지 않은 채 휴대폰을 꺼내 검색창에 ‘바르셀로나’라고 적었다. 형형색색 컬러풀한 건축물들의 이미지가 떴다. 빌딩 숲 바로 옆으로 파란 바다가 보이는 사진도 있었다. 싱싱한 해산물 요리 사진들에 언제 저녁을 먹었냐는 듯 입맛이 돌았다. 부엌 한편에 여행 다니면서 남은 동전들을 넣어둔 투명 케이스를 꺼내 와서, 동전들을 모두 바닥에 부은 후 유로 동전들만 한쪽에 가지런히 모아봤다. 제법 차곡차곡 쌓인 동전 탑을 파우치에 하나씩 넣었더니 파우치가 어느새 불룩했다.

월요일 출근길에 나의 내향인 동전도 불룩한 파우치처럼 꽉 찬 5개이다. 주말 내내 스페인어 학원을 알아보고 바르셀로나에서 머물 숙소도 알아봤다. 가능하다면 3개월 정도 무급 휴가를 신청할 심산이다.

안 되면 회사를 떠나더라도 난 가야 한다. 굳게 마음먹으니, 매니저를 만나러 가는 발걸음이 가볍다. 흑백으로 보이던 회사 사무실이 오늘은 바르셀로나의 구엘 공원처럼 알록달록해 보인다.

문득 '바르셀로나에서 나는 매일 아침 꽉 찬 5개의 동전으로 일어나겠지' 하는 확신이 든다. 아참, 이번 여행은 내 인생 처음으로 혼자 하는 여행이 될 것이다. 친구들이 없다면, 철저히 나 혼자라면, 나는 여행지에서 무엇을 제일 먼저 하고 싶을까? 그저 내 마음이 끌리는 데로 쉬었다 나아갔다 할 여행을 생각하니 입가에 미소가 새어 나왔다. 그래서 그동안 나의 2.5개의 적은 동전을 여러 사람과 나눠 쓰는 게 그렇게 눈물이 났었나 보다. 이번 여행은 긴 여행이 될 예정이다. 그래도 더 이상 내게 텅 빈 주머니는 없을 것이다. 매일 5개씩 충전되는 동전을 혼자 오롯이 쓸 것이므로….

초능력을 돌려주세요

얼마 전 현대 무용 일일 클래스를 등록했다. 15분째 스트레칭을 빙자한 근력운동을 하다 보니 '내가 다른 수업을 잘못 들어온 건가' 의심이 갔다. 강사님이 내 애절한 눈빛을 알아챈 듯이 근력운동을 열심히 해야 동작을 배울 때 다치지 않는다고 설명을 덧붙이셨다.

1년 이상 현대 무용을 배운 학생부터 무용 대학 전공자까지, 레벨이 높은 학생들로 이루어진 수업은 제법 공연 같은 느낌이 났다. 나는 자연스레 맨 뒷줄로 자리를 옮기고, 안 되는 동작들은 엷은 미소로 때워 본다. "잘하고 있어요!" 강사님의 말이 무색하게 내 다리는 90도 이상 벌어지지 않았다. 정규 수업은 초급반으로 등록해야겠다고 생각하자 다시 만나지 않을 학생들 앞에서 나의 뻣뻣함이 더욱 숨김없이 뿜어져 나왔다.

이틀 후, 연습용 수업 녹화 영상이 내 휴대폰에 드디어 당도한다. 나의 모습은 다른 사람들에 가려 간간이 움직이는 실루엣만 보였다. '손끝은 부드러워 보이네, 꾸준히 배우면 언젠가 무용수가 되려나?' 앞서 나가 되지도 않는 상상의 나래를 펼칠 때쯤, "이룬이 왔다!" 조카의 방문을 알리는 엄마의 큰 목소리에 무용수에서 현실의 나로 돌아온다. 올해 5살이 된 조카는 거실을 다 메워버릴 정도로 많은 장난감 자동차를 소유하고 있다. 그것들을 모두 일렬로 세웠다가, 주차 타워에 옮겼다가, 트랙이 그려져 있는 타일을 달리게 했다가, 뭉텅이로 모아 플라스틱 컨테이너에 담았다가, 다시 이 모든 과정을 반복할 정도로 에너지가 넘치는 남자아이다.

조카의 패딩을 벗기기가 무섭게 장난감 자동차들을 일렬로 세우는 첫 번째 단계가 시작되었다. 평소 같았으면 옆에서 거들었을 나인데, 무용 수업의 여파로 욱신거리는 몸은 소파에 혼연일체가 되어있다. 멀리서 보니 우리 조카의 '앉아서 장난감 놀이에 집중한 다리'는 180도이다. 그제야 나는 자리에서 일어나 조카에게 다가가서 괜히 다리를 쓱 만져본다. 조카는 그 이후에도 한참 뼈가 없나 싶을 정도의 고난이도 자세를 이리저리 취하며, 스트레칭의 노력이라고는 하나 없는 온화한 표정으로 자동차 놀이에 집중한다. 나는 망치로 머리를 얻어맞은 사람처럼 그 모습을 유심히 보다가 찌릿한 다리 근육에 정신을 차리고 엄마 방으로 향했다.

방 서랍에는 나의 어렸을 적 사진 앨범이 있다. 신생아 시절부터 80년대 말의 꼬마 아이라면 필수였던 유치한 바가지 머리 시절을 거쳐 (색색의 한복을 함께 입으면 그 촌스러움이 배가 되어 되려 패셔너블하다) 제법 소녀티가 나는 시절로 재빨리 페이지를 넘길 때쯤, 연한 노란색의 발레복을 입은 내가 보인다. 친구들 3명과 쪼르르 일렬로 앉아 사선으로 다리를 찢고 얼굴만 돌려 카메라를 깜찍하게 응시하고 있다. 찡그림 없는 해맑은 표정에, 다리는 역시 180도다! '30년의 세월 동안

1년에 3도씩 깎아 먹었네….' 금세 어른의 마음으로 어쭙잖은 머릿속 계산기를 돌려 언제 어디서부터 이 사달이 났는지 되짚어본다.

'그렇다면 1년에 15도씩 늘리면 6년이면 다시 180도네!' 조카의 과자를 뺏어 먹고 당 충전을 하자 제법 희망적인 미래가 보인다. 갑작스레 생긴 꿈에 부풀어 '이것을 평생 취미로 삼겠노라, 나는 할머니가 되어도 유연하게 살리라' 원대한 선전포고를 거울 속에 나에게 해본다. 거울 속에 할머니는 '90도면 어떠하고 180도면 어떠하리' 나를 쳐다보며 호호 웃음 짓는 듯하다. 별안간 발레 하던 꼬마 아이가 매일 스트레칭을 계속했다면 지금 과연 어땠을지 궁금해진다. 180도를 넘어서 초인적인 힘까지 발휘하려나. 조카가 좀 더 크면 이 비밀을 알려줘야겠다. "너는 너의 초능력을 지켜"라고. "이모는 이모가 가졌던 초능력들이 기억이 잘 안 나"라고. 물론 그도 스스로 90도가 될 때까지 내 말은 믿지 않겠지만 말이다.

사랑, 그 모순의 아름다움

겨울 날씨가 추워지면 어김없이 제이슨 므라즈의 A Beautiful Mess(아름다운 혼란)라는 노래 가사가 떠오른다. 잔잔한 기타 선율에 읊조리는 듯한 가사가 인상적이다.

"당신은 강하지만 약하고
겸손하지만, 욕심도 많죠
당신의 몸짓과 흘겨 쓴 글씨로 미뤄봤을 때
당신은 꽤 까다로운 사람이죠
하지만 당신의 마음은 오히려 무모한 걸요
글쎄요, 짐작해 보건대 이런 게 바로 행복이란 건가 봐요
…중략…
당신이 쓴 글들은 비수가 되어
날 아프게 하지만
신경 쓸 필요 없어요
내 고통은 실제가 아니라고 할게요
그래도 당신이란 모순 속에 잠겨 있을 수 있어 좋아요
왜냐하면 우리는 여기에 있으니까요
여기에 우리는 같이
…중략…
밀물과 썰물이 바뀌고 마음은 망가지겠죠

그렇지만 상처마저 함께 할 수 있다면 걱정 없어요
당신의 드레스들은 찢어졌고
나의 셔츠들은 얼룩졌겠지만
오늘은 좋은 날이네요, 기다림은 가치 있는 일이었어요"

자신에게 상처 주는 여자를 사랑하는 남자의 스토리가 겨울의 눈과 닮았다는 생각이 든다. 하얗게 내려앉아 더러운 세상을 깨끗이 지워 놓고는 자신을 녹아내 사라지는 눈. 아름답다고 부르는 아픔은 우리가 한 번쯤 겪어본 사랑이지 않을까.

언젠가부터 나는 상처받지 않기 위한 사랑을 했다. 감정 대신에 장단점을 맞춰보며 나와 잘 맞는 사람을 찾아 감정을 주입했다. "장점이 많은 남자와 결혼해 보니 그건 다 단점이었어" 무릎을 '탁' 치며 말하는 사람들이 있는 걸 보면 장점과 단점은 떼어낼 수 없는 한 쌍인가 보다.

우리는 사랑할 때 어쩌면 노랫말처럼 장단점이 공존하는 '당신의 모순 속'에 잠겨있는 것이 아닐까. 사랑이라는 단어는 애초에 장단점 그런 이성적인 것들과는 섞일 수 없을지도 모른다. 사실 사랑을 아직 잘 모르겠다. 노래처럼 그럼에도 불구하고 계속 좋은 날이라고 말하는 그런 것이기를 바라볼 뿐이다.

내가 태어나지 않은 고향

나는 서울에서 태어난 자랑스러운 토종 한국인이다. 그런데 어쩐지 어려서부터 내가 제일 많이 들었던 말은 "너는 한국인이 아니야"였다. 그것은 아마도 7살 때 엄마의 지인 소개로 영어를 배운답시고 미군 부대에 자주 드나든 때부터 시작된 것이 아닐까 싶다. 동네 놀이터에 가면 여자애들은 소꿉놀이하고 남자애들은 미끄럼틀에서 놀고 자연스레 남녀칠세부동석을 지키며 살아온 나에게, 갑작스러운 외국 오빠 언니들의 아이스하키 경기는 얼음처럼 나를 꽁꽁 얼려버리기에 충분했다. 하키 유니폼을 입은 10대 외국 남자아이들을 치어리더 옷을 입은 또래 여자아이들이 응원하고 있을 때, 어린 나는 모르긴 몰라도 '이곳은 놀이터가 아니구나!' 직감했을 터이다.

처음 외국인을 보았을 때 엄마에게 한 말은 "저 아저씨 임신했어요?"였다. 우리나라에 없을 법한 큰 키와, 사람을 옆으로 두 명 합쳐놓은 듯한 거대한 체격의 미국 아저씨는 배의 둘레도 남달랐다. 한국말이라 아무도 못 알아들었겠지만 내 질문에 붉으락 달아오른 엄마의 얼굴이 아직도 기억난다. 그다음 내가 기억하는 것은 그 아저씨가 들고 계셨던 피자 조각이 꿈에 나올 정도로 컸다는 것이다. 세로로 반 접은 피자를 손에 들고 먹는 아저씨의 모습이, 1993년 7살의 나에게는 마치 비빔밥을 처음 비벼보는 외국인의 충격과 감동 그 비슷한 것이었으리라. 피자 이외에도 신기한 것이 많았는데, 한국에 아직 나오지 않았던 잠자는 바비 인형(분홍색 부드러운 원피스 잠옷을 입고 있는 바비는 다소 엽기적이게도 냉장고에 넣으면 눈이 감겨지고 실온에 가져오면 눈이 떠진다), 베리 맛을 피해 딸기 맛만 골라서 먹었던 프룻바이더풋 젤리 롤(테이프처럼 젤리가 돌돌 말려 있다), 그리고 저 멀리에서도 누군가 오고 있다는 걸 단번에 알게 해주는 강한 섬유유연제 향(주로 꽃향기나 시원한 바다 향기가 난다)은, 내가 일주일에 한 번 있는 미군 부대 방문일을 기다렸던 이유였다.

어떤 날에는 유치원에 가서 유치원복을 입고 삼삼오오 모여 동요를 부르다가, 다른 날에는 엄마 손을 잡고 부대 정문을 통과해 파워레인저로 분장하고 핼러윈 파티를 하며 2명의 인물로 살아가는 것이 익숙해질 때쯤, 미군 부대에서의 내 첫 생일이 다가왔다.

인기척이 없는 컴컴한 집에 들어가자, 불이 켜지면서 "서프라이즈!" 라고 모두 외쳤던,

촛불을 불자 선물과 함께 건넨 생일 카드에 꼬부랑 영어를 읽지 못해 얼굴을 붉혔던,

내가 선물 받은 폴리 포켓 인형이 질투 나서 울음을 터트렸던 내 친구 에리카Erica와,

그녀가 이름을 쓸 때마다 i 위에 동그라미 대신 하트를 그리는 게 부러워서 내 영어 이름 캐리Carrie에도 똑같이 하트를 그렸던 내가 있던,

그때 그 시절 나의 생일. 그리고 그 생일 사진 속에 그때 나의 사

람들….

떠올려보면 어린 그때의 나는 꼬마도 나름 어른 대접을 해주는 외국 문화에 꽤 어깨가 으쓱했던 모양이다. 에리카 집에서 고사리손으로 쿠키를 구워 보고, 레모네이드도 만들어 보고, 런치 박스도 싸보고, 그렇게 나는 어쩌면 그 자율성과 독립성을 동경했는지도 모른다. 조금 커서 초등학교에 입학했을 때부터 청소년 시절까지 디즈니 만화부터 외국 드라마, 영화, 토크쇼까지 즐겨보며 샌드위치를 먹는 날들이 밥을 먹는 날들보다 늘어갔다. 점점 한국에서 혼자 외국의 삶을 살게 된 것이다.

그렇게 다른 나라의 문화가 스며든 마음이 어른이 되어 꽉 차 번져갈 때, 나는 여행을 시작했다. 그리고 좋아하는 도시가 몇 개 생겨날 때쯤부터 어느 나라를 가든지 그 나라 사람처럼 살고 싶어졌다. 그들이 쓰는 언어를 쓰고 음식을 먹고 하루를 비슷하게 보내고, 그 나라에서 태어났더라면 있었을 그곳의 '나'의 모습으로. 이것은 마치 단편 영화 배우의 모습과 닮았다고 할 수 있다. 한 캐릭터가 끝나면 다른 캐릭터로 넘어가는. 또 알다시피 캐릭터는 많이 해볼수록 더 다채로워진다. 걸음 줄밖에 몰랐던 꼬마가 자전거 타는 역할을 해 본 뒤, 커서는 말을 타는 역할에 도전해 보는 것과 같다. '여행'이라는 단편 영화 시리즈에서 '나'는 이탈리아 여자이고 스페인 여자였다가 그다음 편은 포르투갈 여자로 변신하기도 한다. 내 영화에서 이 배우들은 단순히 캐릭터가 아니라 그 나라, 즉 이탈리아, 스페인, 포르투갈에서, 태어나서 쭉 자란 인물들이다. 나는 그저 그 인물들의 한 장면을 스쳐 지나가는 그런 여행을 하고 싶을 뿐이다.

스쳐 지나가는 것이란 그립기 마련이다. 나는 내 인생의 3/4을 한국에서 살았는데도 여행할 때면 그곳에서 나고 자라 지금의 내 나이가 되어 있을 또 다른 '나'를 만난다. 내가 태어나지 않은 고향에 돌아가 또 다른 '나'와 공유하는 노스텔지어라고나 할까. 무슨 얘긴가 하면, 이탈리아 가르다 호수의 '나'를 만난다면 이해가 될지도 모르겠다. 잠시 상상해 보자. 그녀는 적당히 그을린 피부에 작은 코와 뺨에 귀여운 주근깨가 많고, 큰 눈동자는 짙은 고동색이며 머리는 햇빛에 바랜 갈색이다. 그녀의 옆은 상아색 이층집에서는 바다처럼 드넓은 에메랄드빛의 가르다 호수와 그 호숫가에 정박 되어있는 색색의 작은 고기잡이배들이 보인다. 그녀는 어렸을 때부터 엄마가 해주시는 생선에 소금만 살짝 뿌려 오븐에 구운 요리(먹기 전에는 레몬즙을 꼭 많이 뿌린다)를 좋아했고, 학교 다닐 때쯤은 연한 하늘색 자전거를 타고 매일 호수를 따라 20분쯤 돌아 학교에 갔으며, 첫 이별은 제일 좋아하는 라구 파스타를 자주 먹던 쥬세페 아저씨네 레스토랑 앞에서 했고, 가을에는 호수 앞 낙엽이 쌓인 벤치에서 클래식 음악을 듣는 것으로 하루를 마무리했으며, 어른이 된 지금은 입구가 통유리로 되어있는 종이 냄새가 가득한 서점에서 일하고 있을 것이다. 그리고 그녀는 한국의 내가 가르다 호수에 놀러 간 날들 중 어느 한 날에, 커피를 사러 가다가 우연히 나와 마주친다. 우리는 잠시 스쳐 지나갔을 테지만 서로가 또 다른 '나'임을 바로 알아차린다. 내가 그곳에서 태어났다면 그녀였을 테고 그녀가 한국에서 태어났다면 나였을 테다. 그리고 다시 만날 날은 언제인지 모르면서 서로를 그리워하겠지.

글쓴이가 괜찮을까 걱정할 이들을 위해 얼른 첨언하자면 물론 나는 그녀를 직접 본 적은 없다. 철저히 공상에 가까운 나의 상상은 그저 느낌일 뿐이다. 여행 중 가르다 호수 앞에서 노을을 보았을 때, 근처 어딘가에 이곳에서 나고 자란 또 다른 '나'가 있는, 있었을, 그리고 앞으로도 있을 것 같은, 그런 아지랑이 느낌 그런 것이다. '세월이 지나 내가 할머니가 되어서 가르다 호수에 다시 가게 된다면 그녀도 나와 비슷한 주름이 있을까?' 하는 그런 종류의 아련함이다.

그리움은 전염되는 것이라 이 글을 쓰는 나는 먼 미래의 가르다 호수의 그녀에게까지 가지 않아도 벌써 가슴 한편이 메여온다. 여러 곳에 남겨두고 온 내 오늘의 그녀들이 그리워 새벽이 아쉽다. 내가 태어나지 않은 고향의 그녀들은 지금 나와 같은 달빛 아래 글을 쓰고 있을까. 한 가지 확실한 건 나는 지금 또 다른 '나'가 없는 유일한 곳에 있다. 한국. 나의 고향. 이곳에서는 서울에서 태어나고 미군 부대에서 첫 외국 문화를 접했으며 학교 방학 시절은 대부분 샌드위치 점심을 즐겨 먹은, 그리고 어른이 되어서는 여행을 사랑하는 나밖에 없다. 그래서인지 나는 그리워할 줄도 모르고 한국을 떠나 이방인으로 인생의 1/4

을 살았는지도 모른다.

38살. 40을 앞둔 나이에도 나는 이방인으로 남고 나서야 한국의 내가 그리워졌다. 그것은 글을 쓰고 그림을 그리는 미래의 그 어느 날 한국의 '나'이다. 그녀의 하루는 아마 몸에 좋다는 녹색 채소들을 갈아 만든 주스로 시작해서 창이 큰 그러나 햇빛이 은은하게 들어오는 방에서 글을 쓰거나 그림을 그리고, 오후에는 서점이나 전시회에 들렀다가, 저녁에는 사랑하는 이들과 식사를 한 뒤 산책을 가는 잔잔한 파도 같은 것이리라. 그 잔잔한 날의 '나'는 지금의 나를 애달피 기다리고 있다. 내가 그녀와 만나게 되는 날, 그녀는 오늘을 돌아보며 그리워할 것이다. 그리고 지금 그런 그녀를, 나는 사무치게 그리워하고 있다.

01:00 AM 당신과의 인터뷰

A: 오늘 시간 내 주셔서 감사합니다. 짧게 자기소개 부탁드려요.

B: 네, 저는 경기도에 사는 평범한 직장인이고요. 일이 늦게 끝나서 이제야 왔습니다. 밤늦게 정말 죄송해요. 많이 기다리셨죠?

A: 아뇨, 괜찮습니다. 앞으로 일주일에 한 번이라도 시간 내주신다니 저희는 감사할 따름입니다. 그럼, 질문을 바로 시작해도 될까요? 근래 제일 인상 깊었던 에피소드가 있었을까요?

B: 음… 오늘 출근길에 광역 버스를 타고 갔는데요. 아시죠? 빨간색 버스. 저는 한 시간 반 정도 버스를 타고 출퇴근하는데요. 버스에서 여러 가지 생각이 많아져서 문득 앞을 바라보니, 만석의 버스에 비슷한 뒷모습들이 가득하더군요. 그때 갑자기 드는 생각이 '이 사람들 다 무슨 생각 하고 있을까?'였어요. 그러고 보니 뒤통수 하나하나가 다르게 보이더라고요. 다 다른 사람들이잖아요. 나처럼 모두가 자신만의 스토리가 있고, 스트레스가 있고, 스케줄이 있고, 스…타일이 있고. 음… (고민하는 눈빛을 보내며) 또 '스'로 시작하는 게 있었는데 뭐였더라?

A: 스…스탑?

B: 아, 네! 하하, 스탑이요. 어쩜 한 번에 맞추셨네요. 그러니까 사람들의 버스 스탑, 즉 목적지도 각자 다르고요. 그래서 들었던 생각이, 요새 평-생 공부하면서 대학 잘 가려고 경쟁, 회사 잘 들어가려고 경쟁, (고개를 절레절레 저으면서) 아주 끝이 없잖아요. 목적지가 다를 수도 있는데, 왜 경쟁해야 하는 걸까요? 버스는 내리는 곳이 서로 다르면

누가 먼저 내릴지 싸우지 않잖아요.

A: 그러게요. 그리고 탈 때도 안 싸우는 것 같아요. 같은 버스 탈 게 아니라면 말이죠.

B: 그러니까요! 만약에 버스를 놓쳐도 다음 버스도 있고…. 더 중요한 건 목적지를 아는 것이 아닐까요? 뭘 타든지 간에 어디로 갈지 알아야 도착할 것 아니에요.

A: 맞는 말씀이네요.

B: 네, 그리고 오프라 윈프리 아시죠? 아마 성공하고 유명한 사람들의 인터뷰를 제일 많이 한 사람인 것 같은데요. 누군가 그녀에게 그 많은 사람의 인터뷰를 했으니 공통적인 성공의 비밀이 무엇이었는지 알려 달라고 했거든요. 그랬더니 답하길, "그들은 어디로 가고 싶은지 알고 있었다."라고 했다는 거예요. 정말 소름 돋지 않아요?

A: 와, 진짜 맞는 말이네요. 어떻게 보면 당연한 건데 잊고 있었어요. 어디로 가고 싶은지 잘 생각해 보지도 않고, 그저 버텨내느라 지친 적이 많은 것 같아요….

B: (씁쓸한 웃음) 저도요. 목적지를 다시 생각해 봐야겠어요…. 그런데 목적지 얘기하니까 말인데요. 음… 인생을 버스에 빗대어, 같은 버스를 타는 사람을 목적지가 같은 경쟁자라고 생각해 봤을 때, 그 사람이 버스에서 먼저 내리면 제가 경쟁에서 진 걸까요?

A: 그게 무슨 말씀이죠?

B: 예를 들어, 같은 버스에 타고 있던 어떤 사람이 저보다 빨리 버스에서 내렸어요. 근데 그분의 목적지는 저는 알 수 없지만 저랑 같았다고

가정해 볼게요. 그분은 목적지까지 걸어가고 싶어서 여기서 먼저 내린 걸 수도 있잖아요? 그럼 저는 쭉 타고 가면 목적지에 더 일찍 도착할 수도 있고요. 아니면 저는 다음 정류장에서 내려서 택시 타고 가면 어때요. 더 빠를 수도 있겠죠?

A: 그렇죠. 누가 이겼는지 졌는지는 끝까지 가봐야 알겠네요!

B: 네, 좀 더 나아가서 남을 이기고 지고보다 더 중요한 건, 본인을 이기는 것이 아닐까요? 중간에 포기하려는 본인을 말이에요. 결국 각자의 목적지에 도달하면 다들 행복할 테니까요.

A: 아- 동감해요. 근데 정말, 버스 얘기하다가 이렇게 심오하게 인생을 논하네요. 재밌어요.

B: 밤늦은 시간이라 저도 괜히 버스 얘기가 참 재밌네요. 아, '밤' 하니까 생각나는데 막차는 어때요? 막차 버스. 목적지를 아직 모르는 사람들은 막차가 올 때까지 버스를 못 탄 거예요.

A: 오, 새로운 설정인가요? 흥미로운데요. 근데, 막차마저 놓치게 되면 어쩌죠?

B: 음… 계속 기다려 보면 어떨까요? 밤새도록. 근데 해가 딱 뜨면서 아침이 밝아올 때, '아!' 하고 깨닫는 거예요. 본인의 목적지를. '거기로 가야겠다!' 하고. 밤새 고민하고 춥고 덥고 배고프고 뭐, 엄청난 고생을 했겠죠. 그랬더니 역시나 환한 새로운 날이 온 거예요. 그럼 어떻게 되겠어요?

A: 어떻게 되는데요?

B: 오늘 내 첫 차에서는 1등이죠!

A: 아! 뭔가, 감동이네요. 오늘 내 첫 차에서는 1등이라…. 고생 끝에 낙이 온다, 이런 건가요?

B: 네, 그러니까 길에 남아 있는 사람들 평가하지 않았으면 좋겠어요. 뭘 타고 가려고 저러고 있나, 하지 말고 그냥 내버려두면 안 될까요? 딱 봐도 '목적지 생각하는 중!'이잖아요, 하하.

A: 그러게요. (손으로 보내는 시늉을 하면서) 태워주지 않을 거면 그냥 지나가시라고요-

B: 하하, 오늘 인터뷰 너무 재밌네요. 일주일에 두 번으로 늘리고 싶어졌어요.

A: 어머, 감사합니다. 저희는 자주 오시면 더 좋죠.

B: 음- 그러면 시간이 늦었는데, 이제 슬슬 다음을 기약하고 인터뷰 마무리할까요?

A: 네! 정말 즐거운 시간 감사합니다. 그럼, 다음에 다른 주제로 또 인터뷰 요청드릴게요.

B: 네. 그럼, 연락 기다리겠습니다. 저도 즐거웠어요!

하-암. 탁. 새벽 1시. 하품을 하면서 노트북을 닫는다. 내 오늘의 일기는 꽤 흥미롭다.

내가 당신이 되어, 당신인 된 나를 인터뷰했다.

나와의 대화를, 심도 있는 인터뷰를, 하하 호호 나와 어울려서 당신과 함께 나눴다.

다음 인터뷰 시간이 벌써 기다려진다. 첫 인사말과 끝 인사말을 미리 메모해 둔다.

"당신은 어떤 사람인가요? 당신에 대해 더 알고 싶어요."

"오늘도 당신이 편안하길 바랍니다. 당신을 진심으로 응원할게요."

겨울과 여름 사이

가끔 수신인 없는 편지를 쓰고 싶은 날이 있다. 그럴 때면 노트 한 장을 부-욱 찢어 손 글씨로 메시지를 써 내려간다. 언젠가 내 손 편지가 누군가에게 닿기를 바라며….

To. 읽어주세요.

싱가폴에서 저의 여름은 8년쯤 지속되고 있었습니다.

햇볕에 그을린 피부에 밝은색으로 염색한 머리,

비가 오는 며칠을 제외한 매일 매일이,

바람이 나긋하고 햇살이 가득한 바닷가였습니다.

반바지에 나시를 입던 여름 아이는 아주 잠깐 한국을 오고 갔을 때,

겨울이란 지독히 혹독하다는 걸 알게 될 뿐이었죠.

여기는 1월의 한국입니다.

봄 여름 가을 겨울 1년을 이곳에서 살아내고서야,

눈이 오는 거리에 오직 발자국을 찍으려고

현관문 앞에 신발을 챙겨 두는 사람이 되었습니다.

삐쩍 마른 나무들 사이로 걷는 산책길이,

겨울 공기의 쓸쓸한 신선함이, 애틋하게 되었습니다.

겨울 아이가 된 저를 보면 사람들이 과연 알아볼까요?

저는 이제 곧 싱가폴로 돌아갑니다.

그곳의 여름은 이제 저의 지난 8년 동안의 여름과는 다르겠지요.

저는 이제 겨울 아이로서 여름을 맞이할 생각입니다.

그곳에 남겨두었던 여름의 내가 겨울 아이를 사랑했으면 하네요.

다음번 눈이 오면 꼭 답장 부탁드리겠습니다.

저는 지금 겨울과 여름 사이에 있습니다….

간격

이도렬

이도렬

저는 공대를 졸업하고 지금은 타이어 회사를 다니고 있습니다.
소설과 전혀 관련 없는 전공과 일을 하고 있지만, 평소 소설을 읽는 걸 좋아하고 있습니다.
그래서 어느 청춘들처럼 좋아하는 것에 도전을 해보려고 '간격'이라는 제 첫 소설을 적었습니다.
'간격' 속 민성이와 주형이의 청춘 이야기가 저의 이야기고 여러분의 이야기면 좋겠습니다.

instagram: @do_ryeol

"씨발…"

차가운 공기와 하얀 불빛에 나의 표정은 찌그러졌다. 입에서는 중얼거리듯이 씨발이라는 단어가 나왔다. 누구를 특정해서 한 욕은 아니었다. 그저 완벽하게 씨발과 어울리는 상황이었다. 방금 잠에서 일어나 흐릿한 시야였지만 누워있는 나의 어깨와 골반을 꾹 누르고 있는 사람들이 보였다. 그제야 폭이 좁아 조금만 움직여도 떨어질 거 같은 수술대에 딱 맞게 내가 누워 있다는 것을 알았다.

"수술 막 끝났습니다. 고생하셨고 움직이시면 안 돼요."

나의 오른쪽에서 말이 들렸다. 아직 흐릿한 시야 때문에 사람들의 표정은 보이지 않았지만 목소리가 점점 커지는 걸 보아 힘을 쓴다고 찡그리고 있는 거 같았다. 그리고 목소리와 같이 날 누르던 힘도 점점 커졌다. 꾹 눌려 가만히 있는 나의 몸과 달리 눈은 그러지 못하였다. 천장에 밝은 불빛과 그 불빛을 가리는 마스크를 쓴 얼굴들은 눈을 바쁘게 만들었다. 점점 뚜렷해지는 시야와 정신은 발 쪽 벽면에 걸려 있는 빨간색 LED 시계를 보았고, 시계는 19시 46분을 보여 주고 있었다. 위에는 수술 시간이라는 글자와 작은 LED로 07:32이라는 숫자를 보여주고 있었다. '수술했구나, 왜??'라는 생각과 함께 어디를 수술하였는지 보기 위해 살짝 고개를 들려고 했다. 그러자 느껴지는 오른팔이었다. 가슴에 무엇으로 고정했는지 강하게 고정되어 있었다. 갑자기 오른팔에는 매우 뜨거운 물방울을 졸졸 뿌리는 듯한 느낌이 났다.

"씨발"

다시 한번 나의 입에서는 씨발 이란 단어가 나왔다. 아까보다는 더 뚜렷하였다. 주변에 있던 선생님들은 익숙하다는 듯이 아무렇지 않게 자기 일들을 하고 계셨다. 이번 씨발의 명확한 주체는 나의 오른팔이었다. 팔이 아파서인지 누르고 있는 게 갑갑해서인지 움직이면 안 된다는 걸 알고 있지만 나도 모르게 몸을 움직였다. 날 잡고 있던 선생님들의 힘은 다급하게 더 세지고 움직이면 안 된다고 한마디씩 하셨다.

"베드로 바로 옮기시죠"

라는 말과 함께 이런저런 설명이 있었다. 자세히 들리지는 않았지만, 베드로 옮긴다, 천천히 이동하면 된다는 설명이었다. 그리고 나를 누르고 있던 손들은 반대 방향으로 강하게 나를 들었다. 비교적 넓고 푹신한 병원 침대에 나는 잠에 들지도 잠에 안 들지도 못한 상태로 옮겨졌다. 수술실 천장을 보다가 눈을 깜빡이니, 엘리베이터 천장을 보고 있고 다시 한번 깜빡이니, 복도의 긴 형광등들이 빠르게 나의 발 쪽으로 움직이고 있었다. 마지막으로 눈을 깜빡이니, 병실에 도착하여 풀린 긴장은 나를 잠들게 만들었다.

*

왼팔이 갑자기 불편했다. 이번엔 욕은 나오지 않았다. 어둠 속에서 어제 본 것과 비슷한 빨간 LED 시계는 5시 24분으로 빛나고 있었다. 푸쉬푸쉬 바람을 넣는 소리가 들렸다. 고개를 살짝 들어 소리가 난 곳을 보니, 간호사 선생님이 혈압계로 나의 왼팔에서 혈압을 재고 계셨다. 그리고 고개를 살짝 든 나와 눈을 마주치셨다.

"깨셨어요? 어제 수술은 7시쯤 끝났고 바로 잠드셨다고 하시네요, 지금 혈압 괜찮고요. 쉬세요."

선생님의 깔끔하게 넘겨 뒤로 묶은 머리 스타일만큼이나 대화도 깔끔했다. 그렇게 선생님은 최대한 조용하게 또 조심스럽게 하지만 익숙하게 일을 하셨다. 나의 팔에서 어느새 혈압계를 빼셔서 순식간에 정리하셨고, 태블릿 PC에 무언가를 기록하셨다. 그리고 링거 걸이로 걸어가셔서 양을 확인하는 듯 수액의 높이에 표시하셨다. 그리고 나와 눈을 마주치시고

"쉬세요"

간단한 눈인사와 함께 다른 침대로 떠나셨다. 나는 간호사분이 떠나며 닫은 커튼 소리에도 정신을 못 차렸다. 커튼 너머로 들리는 간호사가 얇은 쇠 접시에 조심히 물건을 담는 소리, 혈압계 소리에 나는 다시 눈을 감았다.

*

코로나 관련된 뉴스 소리가 흐르고 있었다. 그리고 차르륵 커튼을 여닫는 소리가 나를 다시 깨웠다. 무슨 일이지 인지가 필요했다. '어제 7시간 정도 수술 후 바로 잠들었다는 내용을 새벽에 간호사 선생님에게 들었다. 그리고 지금 나의 오른팔은 가슴에 강하게 고정되어 있다. 내가 알 수 있는 건 이 정도였다. 상체를 세우기 위해 힘을 주니 어디를 수술한 건지 더더욱 알지 못하게 되었다. 배에서 짜릿한 근육통이 올라오더니 그 통증이 그대로 등으로 넘어가 고통이 올라왔다. 몸을 거의 다 세웠을 때는 오른팔에 뜨거운 물을 뿌리는 듯이 열감이 올라왔다. 왼팔과 오른발등에서는 뻐근함이 올라왔다. 상체를 다 세우고 나의 깊은 한숨 소리가 뉴스 소리를 묻었다. 내 침대 주변으로 누리끼리한 커튼이 나의 오른쪽과 발 쪽 두 면을 가리고 있었다. 오른발 쪽에는 링거 걸이에 링거가 걸려있었다. 왼쪽은 창문으로, 푸르지만 뜨거워 지쳐있는 나무 이파리들이 시원한 바람에 기분 좋게 흔들리고 있었다. 새로운 신참에게 나름 반가운 환영 인사였다.

*

침대 옆에는 밝은 나무색으로 된 사물함이 자리하고 있었다. 앉은 자세를 바꿔서 사물함을 보고 싶었다. 하지만 그전에 링거 걸이의 위치가 더 궁금했다. 보통 팔에 링거를 맞지 않나는 생각과 함께 다시 한 번 깊은 한숨을 쉬고 뻐근한 왼팔을 움직여 뻐근한 오른발등을 보기 위해 이불을 살짝 들춰보았다. 발등 가운데 덕지덕지 붙은 테이프 밑으로 투명한 호스가 나와 있었다. 호스의 시작 부분에는 피가 조금 나온 듯 빨간색이었다. 테이프에서 시작하는 호스를 어르고 달래듯이 천천히 그리고 조심히 나의 왼팔로 움직였다. 호스가 최대한 움직이지 못하게 옹기종기 모아주고 링거 걸이를 조금씩 왼쪽으로 움직였다. 그리고 왼팔로 온몸을 지지하여 몸을 조금씩 왼쪽으로 틀어주었다. 계속해서 이 세 동작을 반복했다. 호스를 정리하고, 링거 걸이를 움직이고, 몸을 틀고 이 세 동작이 한 바퀴를 돌면 나의 몸은 분침처럼 돌아가고 있었다. 어색한 왼팔은 나의 행동을 더더욱 분침처럼 뚝뚝 끊어 돌아가게 만들고 있었다. 또다시 깊은 한숨과 함께 시곗바늘은 멈췄다. 분침은 아까부터 궁금한 나무 사물함을 향했다. 흔한 병원 사물함, 밑에 넓은 서랍 하나, 위로는 옷장 용도인 큰 서랍이 있었다. 아래 서랍과 위 서랍 중간 빈 공간에는 휴대폰, 담배와 라이터, 꽤 많은 양의 약봉지가 돌돌 감겨 왼쪽에서부터 오와 열을 맞춰 깔끔하게 놓여있었다. 왠지 아까 새벽에 깔끔한 머리 스타일 간호사분의 작품 같았다. 자연스럽게 휴대폰으로 손이 갔다. 왼손으로 잡은 핸드폰은 어색했다. 지문인식을 위해 엄지손가락을 휴대폰 옆면으로 옮기는 건 생각보다 쉽지 않았다. 손목을 꺾어가며 휴대폰을 돌리려고 했다. 하지만 아슬아슬하게 손에 걸려있는 휴대폰은 돌아갈 생각이 없는 듯했다. 결국 다시 휴대폰을 내려놓았다. 놓인 휴대폰에 손목을 꺾어 왼손 엄지를 휴대폰 오른쪽으로 가지고 갔다. 하지만 검정 화면에 짧게 진동만 울렸다. 아까와는 다른 한숨은 나의 병원 생활 시작을 알려주었다.

어색한 왼손으로 내 생일 0324를 찍었다. 잠금이 열린 휴대폰, 평소 아무 의미 없이 보던 빨간 풍선의 숫자는 유독 반가웠다. 이 풍선 안에 나를 걱정해 주는 연락이 있을까 혹은 깊은 한숨을 대신해 줄 사람이 있을까?라는 생각에 빨간 풍선을 터트렸다. 두세 개의 단톡방의 빨간 풍선은 요란하게 터지기만 하고 아무것도 없었다. 소장님이라고 적힌 태그를 가지고 있는 풍선을 터트리니 나름의 내용이 있었다.

'출근 안하니?' 08:52

'어디 안 좋나? 일어나면연락해라' 09:30

'어디 안 좋나?' 나의 상황을 아무것도 모르는 5글자지만 이 모든 상황을 알고 있는 듯했다. 생각보다 큰 위로가 되었다.

10:02 '입원했습니다 아직 저도 상황파악이안됩니다'

10:05 '먼저 파악후 연락드리겠습니다!'

10:07 '크게 다친건 아니니 걱정 안하셔도 됩니다 ㅎ'

그렇게 역할을 다한 휴대폰은 다시 자리로 돌아갔다. 누군가 목 부분을 수술한, 끔찍한 사진이 있는 담배와 그 옆 라이터를 집어 들었다. 저 사람도 나처럼 모든 것이 어색했겠다는 생각과 함께 조금 이동시켰다고 익숙해진 링거 걸이 중간에 위치한 받침대에 담배를 옮겼다. 이제는 조금은 얇아진 한숨과 함께 침대에서 일어나기 위해 자세를 잡았다. 오른발등 위 테이프 속에서 나오는 호스는 나를 더 어색하게 만들었다. 꽤나 큰 노력으로 일어났다. 온몸 곳곳에서 올라오는 다양한 통증들은 수술했다는 사실을 다시 한번 각인시켜 주었다. 그 통증들과 함께 누리끼리한 커튼 앞에 섰다. 누리끼리한 커튼 앞에서 나는 멈췄다. 잠깐이지만 아무 간섭도 방해도 없는 온전한 나만의 세상이었던 커튼 안을 떠나려고 하니, 또 어떤 어색한 일들이 생길까 라는 생각에 온몸 구석구석 올라오던 통증은 점점 그 수와 존재감이 희미해졌다. 커튼 밖에서는 다양한 소리들이 들렸다. 확실하게 들리는 것은 익숙한 뉴스 소리였다. 아나운서는 상당히 좋은 발음과 듣기 좋은 목소리로 코로나 시대의 취업에 대해 말하고 있었다. 바로 다음 기자는 꽤나 흥분한 목소리로 관련된 이야기를 말하고 있었다. 그리고 TV 소리 옆으로는 과자 봉지에서 과자를 까먹는듯한 소리가 들렸다. 계속 집중하니 누군가 이어폰에서 나오는 노랫소리까지 들렸다. 커튼 밖 세상 속에서 다양한 소리가 있었지만 정작 들리는 사람 말소리는 TV를 통해 나오는 소리뿐이었다. 다시 한번 깊은 한숨을 크게 쉬었다. 파도 소리에 모래들이 휩쓸려 아무 저항도 없이 다른 곳으로 옮겨지듯 차르륵 소리에 나 또한 커튼 밖 세상으로 휩쓸려 갔다.

*

섬 같았다. 다른 침대들의 누리끼리한 커튼들은 각자의 간격을 유지한 채 고립된 섬 같았다. 굳게 닫힌 커튼 속 소리들만 섬 안에 사람이 있는지 없는지 짐작하게 만들어 주었다. TV를 독차지하고 있는 어르신, 아픈 아이 옆 간이침대에 앉아 과일을 깎는 엄마의 모습, 미디어로 접한 6인실의 모습은 전혀 없었다. 그냥 각자의 누리끼리한 섬에 고립된 채 생활하고 있었다.

김○성

다시 본 나의 섬에는 반쪽짜리 이름표가 나의 섬이란 걸 표시해 주고 있었다. 오른발등에 붙어 있는 테이프와 링거 바늘이 무거웠다. 가슴에 강하게 묶여 있는 오른팔과 무거운 오른발로 누리끼리한 다른 섬들 가운데로 보이는 병실 문을 향해 걸어갔다. 한 걸음 한 걸음 모든 것이 어색하였지만 각자의 섬에 고립되어 모든 게 어색해 우스꽝스럽게 걷고 있는 나를, 못 보는 사람들이 그저 고마웠다. 딱 한 사람만 내 모습을 보고 비웃었다. 병실 문 작은 유리창에 비쳐 보이는 내 모습을 내가 보고 있었다. 누구를 비웃으면서 동시에 비웃음을 받으면서 도착한 병실 문, 아까 커튼은 왼손으로도 가볍게 열었지만 아까보다 무거워진 문은 몸의 중심을 오른쪽으로 옮겨 힘겹게 열었다. 이번 병실 문을 열며 뱉은 한숨은 아까 커튼을 열 때 보다, 조금 깊이가 얇아졌다.

*

문을 열자 긴 복도가 보였다. 단순히 한 길뿐인 복도였다. 좌우에는 하얀색 벽뿐이었다. 그렇게 왼팔로는 링거 걸이를 잡고 오른팔은 여전히 가슴에 두고 걸어갔다. 보폭은 매우 좁았다. 링거와 테이프로 무거운 오른발 때문인지, 구석구석 올라오는 통증 때문인지, 아니면 낯선 세상 때문인지, 점점 굽어지는 몸이었다. 좁은 보폭으로 복도 끝에 도착했다. 오른쪽으로 돌아보니 데스크 같은 공간이 있었다. 2명의 간호사가 컴퓨터에게 빨려갈 듯 집중하여 일을 하고 계셨다. 그 앞 넓은 공간에는 기역자로 초록색 가죽으로 짧은 등받이를 가지고 있는 소파가 있었다. 편해 보이는 소파에 지금 당장이라도 이 짧은 보폭을 이용하여 달려가고 싶지만 아무도 없어 가면 안 될 거 같은 느낌이 들었다. 그리고 엘리베이터가 눈에 보였다. 모든 게 어색한 이 상황에서 유일하게 익숙하게 할 수 있는 담배가 너무 피우고 싶었다. 그때부터는 아무것도 신경 쓰지 않았다. 그저 엘리베이터를 향해 무거운 오른발을 열심히 끌었다. 조금씩 조금씩 최단 거리인 데스크 앞으로 무거운 걸음을 걸었다. 그렇게 천천히 하지만 최고 빠른 걸음으로 열심히 걸었다. 그렇게 열심히 걸어와 엘리베이터 문 앞에 섰다. 평소처럼 문 가운데 선 나는 버튼을 누르기 위해 링거 걸이에서 놓았다. 어색한 왼손을, 버튼을 향해 뻗었지만, 생각보다 짧았다. 수천 번은 눌렸을 엘리베이터 버튼이지만 너무나 어색하게 느껴지는 순간이었다. 그 어색함에 짧은 헛웃음이 나왔다. 몸을 버튼 쪽으로 기울여 누르는 것은 몸에서 꾸준히 올라오는 고통을 크게 만들 거 같아 버튼 쪽으로 한 발짝 움직이기 위해 다시 링거 걸이를 잡았다. 그 순간 뒤에서 내 이름을 부르는 소리를 들었다.

"김민성 씨"

나는 링거 걸이를 중심으로 반 바퀴 돌아 나를 부른 소리를 보았다. 뻣뻣하게 돌아가는 분침 같은 모습은 우스꽝스러웠다.

"안녕하세요. 민성 씨 잠시 이쪽으로"

새벽에 혈압을 재 주시던 간호사분이었다. 데스크 안으로 들어가는 작은 간이 문을 잡고 계셨다. 깔끔하게 넘긴 머리에서 조금씩 튀어나온 머리카락들이 보였다. 나는 짧은 대답과 함께 간호사분이 잡고 계신 작은 간이 문을 향해 걸어갔다. 천천히 걸어가는 나를 편안한 미소와 함께 기다리고 계셨다.

"아프시죠. 조심히 들어오세요"

앞장서서 데스크 안에 공간으로 가셨다. 나의 속도에 맞게 천천히 하지만 느린 걸음이 자연스러웠다. 무슨 얘기를 하실지, 또 나는 무엇을 물어봐야 하는지 온갖 생각은 걸음을 더 무겁게 만들었다. 그렇게 도착한 데스크 안쪽 공간은 탕비실 같았다. 가운데는 동그란 탁자와 의자 그리고 약간의 주전부리가 있었다. 벽에는 각자의 이름이 적혀 있는 사물함이 있었다. 그중 가장 눈에 띄는 이름은 이주형이었다. 남자일까 여자일지 고민하는 동안 간호사분이 의자를 빼주셨다.

"이쪽으로 앉으시면 되세요. 가져올 게 있어서 잠시만 기다려 주세요"

여전한 미소와 함께 나가셨다. 나는 또다시 어색함과 함께 있었다. 이런 어색함이 점점 익숙해지고 있었다. 의사와 함께 다시 들어온 간호사, 의사는 이런저런 설명을 시작하였다. 어제 점심쯤 교통사고로 의식이 없는 상태로 들어왔고, 온몸에 타박상이 있고 불행 중 다행인게 오른쪽 팔만 수술이 필요한 정도로 다쳤다고 했다. 오른쪽 팔꿈치 근처로는 분쇄 골절로 수술했고 깔끔하게 끝났다. 하지만 치료와 재활이 다 끝난 뒤에도 평생 불편할 수도 있다고 했다.

신기하게도 어제의 기억은 전혀 없었다. 그냥 눈을 뜨니 수술이 끝났다. 다음 따라오는 생각은 걱정이었다. 익숙해진 자동차 검사원 일을 이제는 못 하겠구나, 퇴근은 항상 하고 싶지만, 출근이 싫었던 적은 없었는데 이제 못 하겠구나 라는 느낌이 강하게 왔다. 눈을 감고 왼손으로 얼굴을 가렸다. 그리고 관자놀이를, 최선을 다해서 눌렀다. 이후 어떤 설명도 귀에 들어오지가 않았다. 그저 담배가 피우고 싶었다. 모든 설명이 끝나고 의사 선생님은 나가셨다. 그리고 간호사분이 다시 앞장을 서서 나를 데리고 이동하셨다. 그리고 아까와 같이 간이 문을 잡아 주셨다. 그 순간 보인 사원증에 적혀 있는 이름은 이주형이었다.

"너무 걱정하시지 마세요. 수술 잘 끝났고 선생님 말씀대로 아직 젊으셔서 재활 잘 받으시면 괜찮을 거예요"

주형 간호사의 미소는 따뜻하였지만, 나는 그저 형식적으로 대답했다. 그 길로 다시 엘리베이터 앞에 섰다. 또다시 내려가는 버튼을 누르기 위해 뻗은 왼손은 짧아서 닿지 않았다. 더 깊어진 한숨과 함께 링거걸이를 잡고 버튼을 누르기 위해 끌었다. 도착한 1층에서 흡연실이라는 화살표만 보였다. 화살표만 보고 도착한 화살표 끝에서 급하게 담배를 입에 물었다. 순식간에 입술에 가까워진 뜨거운 빨간불 덕분에 그제야 주변이 보이기 시작하였다. 큰 나무 그늘 밑이었다. 후문 주차장 구석, 자주 비에 젖어 손잡이 부분이 검붉은색을 띠고 있는 의자에 앉아 있었다. 그리고 그림자가 눈앞에서 움직이고 있었다. 그림자의 주인을 보기 위해 고개를 뒤로 젖혔다. 그렇게 한참 동안 그림자의 주인인 이파리가 어떻게 움직이는지 보고만 있었다.

*

그렇게 하루하루가 쌓였다. 평생 경험하지 못할 다양한 검사들로 하루하루를 보냈다. 그리고 손가락 하나 까딱이지 못하는 오른팔은 아직도 어색했다. 붕대로 칭칭 감겨, 가끔 자고 일어나면 피가 한가득 묻어있는 붕대 교환을 부탁하는 일도 어색했다. 하지만 매번 처음과 같은 따뜻한 미소로 붕대를 갈아주는 주형 간호사의 미소는 점점 익숙해졌다.

주형 간호사의 생기 있고 따뜻한 미소와 달리 점점 나는 시들어가고 차가워졌다. 건강해지기 위해 오는 병원인데 나는 반대로 병들어가고 있다. 스스로 문진을 해 본 결과 걱정이라는 질병이었다.

'자동차 정비, 검사원으로 최고의 자리에 오르겠다.'

그게 나의 꿈이었다. 그리고 그 꿈을 위해 모두가 하듯이 최선을 다해 노력했다. 관련 대학을 나오고 대학에 나오자마자 코로나로 얼어붙은 취업시장에서 땀이 날 정도로 미친 듯이 얼음을 부쉈다. 그렇게 부서진 얼음 사이에서 겨우 잡은 대한민국 자동차 검사원이라는 자리였다. 퇴근 후 녹초가 된 몸으로 몰랐던 것을 공부하는 시간도 점점 줄어들고 있었다. 하지만 기억도 안 나는 사고가 갑자기 꿈을, 시간을, 노력을 무의미하게 만들었다. 손가락 하나도 움직이지 못하는 현실은 다시 괜찮아질 거라는 희망을 먹구름으로 만들어, 걱정이라는 질병을 내렸고, 나를 병들게 만들었다. 그렇게 걱정으로 잔뜩 시들어 버린 나는 병들어 움직이지 못하였다. 그렇게 점점 섬에 고립되어 가고 있었다.

*

매일 10시면 누리끼리한 커튼에서 차르륵 소리가 났다. 그 소리와 함께 주형 간호사는 고립된 나의 섬에 들어오셨다. 한여름의 바닷물같이 시원하면서도 따뜻한 미소와 함께 들어오셨다.

"좋은 아침"

병원에서의 시간이 길어진 것과 반대로 우리의 대화는 짧아지고 있었다. 그리고 매일 너무나 능숙하게 혈압을 재시고, 수액을 확인하시고 태블릿 PC에 무언가를 기록하였다. 그리고 나와 짧은 수다를 떨었다. 그런 수다들 사이에서 나와 나이가 같다고 말해주었다. 코로나로 환자와 직원뿐인 병원에서 유일한 동갑인 주형과 나는 짧은 수다로도 빠르게 가까워졌다.

주형은 보통의 키에 보통의 외모를 가지고 있었다. 하지만 침착한 목소리에 차분한 대화 스타일은 누구나 매력을 느낄만한 포인트였다. 그리고 항상 가지고 계신 따듯한 미소는 무채색인 병원에서 색채를 가진 몇 안 되는 존재였다.

"왜 민성 씨는 점점 아파지는 거 같죠?"

걱정이란 질병에 시들어가고 있는 나를 알고 있는 듯했다. 하지만 그 질문에 '그러게요'라는 시들어 버린 대답을 했다.

"너무 걱정하지 말고 일단은 병원이니깐 회복하는 거에만 집중해요. 나중 일은 퇴원하고 생각해도 절대 안 늦으니깐"

미소와 함께 이 말을 나에게 전하고 눈인사와 함께 다시 커튼을 닫았다. 짧은 대화였고 짧은 미소였지만 나에게는 희망적인 긴 생각을 가지고 왔다. '오랜 꿈이었던 기술자가 아니면 어떤가, 또 아직 젊은데 재활이 완벽하게 되지 않을까'라는 긴 생각들에 눌려 조금은 답답해졌다. 링거 걸이 받침대에 담배를 던지고 이제는 익숙해진 걸음으로 커튼을 차르륵 열었다.

*

수술 직후 아주 간단한 행동도 어색하였다. 걷는 것, 엘리베이터 버튼을 누르는 것 등 오른팔이 전혀 움직이지 않는 것은 모든 것을 어색하게 만들었다. 그중 가장 힘들었던 건 밥시간이었다. 담배를 피우고 올라와 보니 침대에 숨어있던 책상은 나의 자리를 차지하고 있었고, 그 위에는 식판이 올라가 있었다. 그리고 각 그릇에는 투명한 뚜껑이 덮어져 있었다. 하지만 따뜻한 음식 때문에 습기가 차 내용물은 무엇인지 알 수는 없었다. 항상 맛없는 병원 밥이지만 혹시나 맛있는 반찬이 있을까 조심히 침대에 걸터앉아 반찬이 무엇인지 알기 위해 왼손으로 하나씩 뚜껑을 열어 주었다. 왼손으로는 먹기 힘든 콩자반과 기다란 시금치가 나왔다. 그리고 그나마 희망적인 간장 불고기가 나왔다. 식판 오른쪽 끝에는 수저와 젓가락이 있었다. 나에게는 필요 없는 젓가락은 두고 숟가락을 들었다. 그렇게 숟가락만 이용하여 식사를 시작하였다. 왼손으로 시작한 어색한 식사는 식판과 책상을 더럽히더니 끝이 났다. 수저를 내려놓는데 젓가락과 콩자반이 눈에 띄었다. 그리고 움직이지 않는 오른손도 눈에 띄었다.

괜한 오기였을까, 아니면 달라진 나의 오른팔에 대한 대비책인가 왼손으로 젓가락을 집었다. 그냥 매일 하는 밥 먹기만 왼손으로 자연스럽게 하면, 기억도 안 나는 사고가 없애려고 하는 꿈을 왼손으로 다시 꿀 수 있을 거 같았다. 막상 젓가락을 집으니 어떻게 하는지 몰랐다. 젓가락을 바르게 집는 법도 또 움직이는 법도 몰랐다. 몇 번을 다양하게 젓가락을 잡았다가 놓았다를 반복하였다. 최종적으로는 어릴 때 배운 거처럼 정석으로 잡으려고 노력했다. 검지와 중지로 젓가락을 집고 약지 위에 다른 젓가락을 올려두고, 검지와 중지를 이용하여 위아래로 움직이려고 노력했다. 힘이 부족한 건지 아니면 처음 해본 어색한 자세 때문인지 젓가락은 떨리고 있었다. 그렇게 콩자반을 잡으려고 노력하였다. 젓가락 사이가 벌어지지 않아 잡지도 못하였다. 수십 번의 반복 덕에 점점 젓가락 사이는 벌어져 콩자반으로 다가갈 수 있었다. 다가가 잡으려고 하면 벌어진 젓가락은 다시 만나지 못하였다. 또다시 수십 번을 반복했다. 젓가락은 서로 비겨가기도 또 잡아도 힘이 부족하여 들어 올리지는 못하기도, 그리고 너무 힘을 많이 주어 콩자반이 튕겨 나가기도 하였다. 수십 번 아니면 수백 번을 반복하여도 젓가락 사이에 콩자반을 둘 수 없었다. 그래도 점점 잡을 수 있을 거 같은 희망이 조금씩 보이기 시작하였다. '차르륵' 소리에 고개를 들었다. 영양사분께서 새로운 밥과 반찬이 담긴 식판을 가지고 와 주셨다.

그리고 창문으로 노을이 보였다. 순식간에 흘러간 시간에 헛웃음이 나왔다. 그 웃음에는 허망함과 희망이라는 여러 의미가 담겨 있는 듯하였다.

*

여느 때와 같이 차르륵 소리와 함께 주형이가 들어왔다.

"좋은 아침"

그리고 능숙하게 주형은 할 일을 했다.

"아직도 시들시들은 한데 그래도 조금씩 괜찮아진 거는 같다?"

평소 같으면 짧은 대답으로 대답할 나였지만 무슨 일인지 내 얘기를 시작하였다. 내가 자동차 검사원이었고, 지금 오른팔 때문에 다른 일을 해야 할 거 같다는 얘기와 그래도 왼손으로 밥만 잘 먹으면 왼손으로도 계속 내 꿈을 꿀 수 있지 않을까라는 생각에 왼손으로 밥을 먹으려고 엄청나게 노력하고 있다고 얘기하였다. 얼마 안 남은 병원 생활에 대한 아쉬움인지 아니면 다시 병원 밖 세상으로 나가기 전 복잡한 생각에 해답을 찾기 위한 것인지 주형의 한결같은 따뜻한 미소에 기대듯 내 얘기를 뱉어냈다. 그렇게 내 얘기를 들으면서 할 일을 마무리한 주형은 사물함 옆에 있던 의자를 가지고 왔다. 그리고 그 의자를 침대 옆으로 붙여 나와 가까이 자리를 잡았다.

"잠깐만"

여전히 따뜻한 미소와 함께 나의 왼 손목을 잡아 나를 돌려 앉게 만

들었다. 나는 주형과 마주 보고 앉았다. 잡고 있던 나의 왼 손목을 힘을 주어 꽉 잡더니

"손가락 하나씩 움직여봐 엄지 검지 중지 순으로 천천히"

나는 왜라는 짧은 대답과 동시에 어느새 검지까지 접고 있었다.

"오케이 잘했어, 천천히 다시 한번 해봐"

새끼까지 다 접은 나는 이번엔 아무 대답 없이 접었던 손가락을 다시 펴서 천천히 모든 손가락을 완벽하게 접었다.

"오케이 이 느낌 기억해"

그렇게 내 왼 손목을 놓고 일어나더니, 가슴에 강하게 묶여있던 오른팔의 붕대를 천천히 풀어 주었다. 앉은 상태에서 오른팔은 푼 건 처음이었다. 주형이가 잡고 있지 않으면 팔 전체가 힘없이 땅으로 떨어질 거 같았다. 아까와 달리 주형은 한 손으로는 손목 그리고 다른 한 손으로는 팔꿈치 쪽을 받치더니 내 오른쪽으로 한쪽 발은 땅에 두고 침대에 걸쳐 앉았다. 왼 손목을 잡을 때처럼 강한 힘은 느껴지지 않았다. 하지만 주형의 표정은 아까보다 더 찡그리고 있었고 집중한 듯이 입을 살짝 내밀고 있었다. 그렇게 나도 주형처럼 한쪽 발을 땅으로 내리고 침대에 걸쳐 마주 보고 앉았다. 우리 둘 사이에는 뜨거운 열감이 조금씩 올라오는 내 오른팔이 가로로 있었다.

"아까 왼손으로 한 기억 그대로 해봐 조금 더 천천히"

주형은 고개를 숙여 내 오른손을 쳐다보았다. 그렇게 주형의 정갈한 머리 스타일을 보면서 나는 살짝 웃었다. '아직 안 움직여진다. 네가 잡은 것도 잘 안 느껴지는데 뭐'라고 대답을 했다. 그러자 계속 내

손을 집중하여 보고 있던 주형은 고개를 들었다. 그리고 살짝 찡그러진 미간으로 나를 쳐다보았다.

"아 좀 일단 해봐"

전혀 기분 나쁘지 않은 짜증이었다. 주형의 그런 짜증에 웃음이 나왔다. 나는 웃고 있었지만, 아직도 찡그러진 미간인 주형을 보고 나는 얼른 웃음기를 뺐다. 그리고 내 손을 보았다. 아까 접고 폈던 왼손의 느낌을 다시 상기했다. 천천히 엄지를 접었던 그 느낌을 그리고 검지 중지 약지 새끼를 접은 그 느낌을 기억하려고 했다. 내 왼 손목을 꽉 잡고 있던 주형의 손의 힘을 기억하려고 했다. 그걸 그대로 오른팔에게 움직이려고 머릿속에서 명령을 내렸다. 몇 번이고 반복된 나의 명령에 나의 몸은 긴장이라도 한 듯 등에서는 땀이 흐르고 있었다. 하지만 여전히 미동도 없는 내 오른손가락이었다. '안되는디....' 라는 나의 대답에 주형은 다시 고개를 들어 나와 눈을 맞췄다. 찡그린 미간은 펴져 있었고 다시 따뜻한 미소로 나를 봐주었다.

"잘했어, 그러면 이번엔 내가 도와줄게"

주형은 내 손목을 잡고 있던 손을 놓더니 내 엄지손가락을 주형은 자신의 손을 인형 뽑기 집게처럼 만들어 잡았다.

"엄지 한번 움직여봐"

나는 다시 최선을 다해 머릿속으로 엄지에게 명령을 내렸다. 마치 주형은 명령을 들은 듯 자연스럽게 나의 엄지를 접어 주었다.

"봐봐 하면 되잖아"

장난스러운 웃음과 함께 엄지손가락을 잡고 있던 손으로 나의 왼 어깨를 가볍게 때렸다. 나도 그 장난스러운 웃음이 따라 얼굴에 피었다.

"다른 손가락도 한 번 해보자"

그렇게 우리는 다른 손가락들도 열심히 움직였다. 나는 머릿속으로 명령을 내리고 주형은 내 머릿속에 들어와 있는 듯 내 손가락을 움직여줬다. 모든 손가락을 주형과 함께 대여섯 번을 반복하였다. 마지막 새끼를 접은 후에는 다시 고개를 들어 서로 마주 보았다. 주형은 미소를 띠고 있었다. 마치 자기 일처럼. 그리고 나는 당연하게도 주형과 같은 미소가 띠고 있었다.

"그러면 이제 혼자 해봐, 할 수 있지? 엄지부터 천천히 해보자"

나는 고개를 숙여 손을 보았다. 아까 집중한다고 입이 나온 주형처럼 이번엔 나의 입은 조금씩 나오고 있었다. 엄지손가락에게 움직이라고 명령을 내렸다. 아까보다 훨씬 간절하게 명령을 내렸다. 제발 움직여달라고

"오오 된다 된다"

혼자는 미동도 안 하던 내 엄지손가락은 아주 미세하게 떨리고 있었다. 서로 마주 본 표정에서는 이 병원에서 제일 진한 색채를 가진 미소였다.

*

주형은 진한 색채의 미소와 함께 오른손의 붕대를 다시 감아주었다. 그리고 주형은 자기 손목에 있던 검은색 머리끈을 뺐다. 그리고 그

걸 나에게 보여줬다.

"요거 재활할 때 사용해, 요렇게"

그리고 자기의 다섯 손가락을 만두처럼 만들었다. 다섯 손가락 끝 부분에 머리끈이 걸리게 올려두고 만두를 폈다 오물이기를 반복하였다. 그리고 머리끈을 다시 집게로 잡더니 나의 왼 손바닥 위에 올려 주었다.

"퇴원 때까지 왼손으로는 밥 잘 먹으면 되는 거고, 오른손으로는 이거만 잘하면, 퇴원하고 아무 문제 없을 거야" 밥 잘 먹는 왼손으로는 새로운 꿈을 꾸는 거고, 오른손으로는 이미 이룬 꿈을 키울 수 있을 거야"

그렇게 주형은 눈인사와 두 주먹을 위에서 아래로 짧게 내리는 파이팅 제스처와 함께 나의 침대에서 나갔다. 주형의 실수인지 고의인지 모르겠지만 커튼은 닫히지 않았다.

*

퇴원 날이다. 퇴원 일주일 전부터는 가슴에 묶여 있던 오른팔은 붕대로부터 자유를 찾았다. 하지만 검은색 보호 기구를 차고 있어야 했다. 차가운 쇠로 프레임이 되어 있지만, 내 팔이 닿는 부분은 푹신한 쿠션으로 만들어진 보호 기구였다. 그리고 링거 걸이는 어젯밤 졸업하였다. 오른발등과 왼팔은 링거 바늘을 고정한다고 붙여둔 테이프 자국이 남아있었다. 여름이 끝난 뒤 발견하는, 지나간 계절이 남기는 반팔

자국 같았다. 반팔을 팔 끝부분 기준으로 다른 피부색처럼, 테이프가 있던 자리에 색이 다른 진한 자국이 남아있었다. 병원에서 지나간 계절의 자국을 보고 있는 중 마지막 아침밥이 나왔다. 오늘도 식판에는 따듯한 온기로 투명한 덮개에 김이 서려있었고, 내용물을 확인할 수 없었다. 왼손을 이용하여 덮개를 열었다. 콩자반, 어묵볶음, 너비아니 마지막 밥으로 나름 괜찮았다. 왼손은 어느새 젓가락을 집고 있었다. 젓가락을 포크처럼 이용하여 너비아니를 찔러 입으로 가지고 왔다. 그리고 그다음은 모락모락 김이 나고 있는 흰쌀밥을 한 젓가락 퍼 올렸다. 그다음 젓가락 사이에는 까만 콩자반이 있었고, 그 콩자반은 나의 입속으로 향하고 있었다. 그렇게 몇 번 반복하더니 어떤 반찬도 남기지 않고 마지막 병원 밥은 끝이 났다.

*

밥을 다 먹고 옷을 입었다. 환자복이 아닌 내 옷을, 오래간만에 보는 내 옷은 사고 당시 입었던 옷이었다. 깨끗하게 세탁은 한 듯하였지만, 검은 티셔츠와 청바지에는 땅에 그어진 듯 상처들이 있었다. 오랜만에 침대의 커튼을 닫아 상처 난 옷들로 갈아입었다. 주머니에는 휴대폰과 담배, 라이터를 챙겼다. 왼 손목에 검정 머리끈까지 챙기고 차르륵 커튼을 다시 열었다. 좌우로 하얀색인 긴 복도를 넓은 보폭으로 걸어 엘리베이터 버튼을 눌렀다. 이제는 짧지 않은 왼손으로 한 번에 누르고 일 층으로 향했다. 도착한 일 층에서 수납까지 완벽하게 끝난 나는 흡연장이라는 화살표를 따라갔다. 그렇게 도착한 흡연실, 녹슨 의자에 앉았다. 주머니에서 꺼낸 담배는 마지막 한 개비였다. 담배에 불을 붙이고 어느새 빨간불은 내 눈 바로 앞으로 다가왔다. 녹슨 의자에서 일어나 다 피운 담배를 휴지통으로 던졌다. 라이터는 주머니로 다시 향하는 게 아니라 의자 한가운데 가지런히 올려두었다. 그리고 병원 후문으로 향했다.

"민성"

큰소리로 들리는 주형의 목소리에 나는 놀라 왼발을 중심으로, 뻣뻣한 분침처럼 우스꽝스럽게 뒤돌았다. 주형은 오른손을 머리 위로 신나게 흔들고 있었다. 여전히 따뜻한 미소와 함께, 그리고 그 옆 흡연장에서는 생기 가득한 초록 이파리들도 같이 손을 흔들고 있었다. 이파리 같은 주형이었다. 그런 주형을 향해, 그리고 이전의 나를 향해, 나도 손을 머리 위로 올려 흔들었다.

변태(變態)

수인

수인

1995년에 청주에서 태어나서 평범하게 학교를 다니며 직장생활을 했습니다. 취미는 글 쓰는 것으로 고등학교 졸업 후 글을 꾸준히 써왔으며 약 8년동안 나의 감정이나 느꼈던 생각, 삶을 살아가며 깨달았던 것들에 대해 글을 써왔습니다. 2023년 11월에 '청춘 특별시' 라는 공모전에 시로 당선되었으며 공모전 당선을 계기로 작가에 대한 꿈을 더 키워나가게 되었습니다.

Chapter.1 변태의 동기

다시 태어나고 싶었다. 지금의 난 내가 느꼈을 때 너무나도 볼품없어서. 떳떳하게 이 세상을 살고있지 못해서. 삶에 아무런 흥미가 없어서. 나에게 주어진 삶을 일찍 마무리하거나 혹은 다시 태어나고 싶었다. 지금의 나와는 딴판의 모습으로 된다는 전제하에 다시 태어나고 싶었다.

이런 생각 근원은 살아오면서 웃음 뒤에 감추어 왔던 그늘의 영향이 컸다. 난 보통 어두운 마음을 농담과 재미와 실없는 웃음으로 자주 감추곤 했다.

학창시절 내내 집안에서 오고 가는 부모님의 날카로운 음성과 다툼으로 얼룩져 무거워진 집 분위기에 겁에 질려 집에서는 한없이 울었지만 그런 나의 불안했던 감정과 그늘진 마음을 들키기 싫어 막상 친구들 앞에서는 아무런 일도 없던 사람처럼 해맑게 웃음으로 무마하는 일

이 일상이었고

고등학교 3학년, 누구나 공부를 열심히 하는 수험생 시절에 나 또한 원하던 꿈을 이루기 위해 꼭가고 싶었던 대학교를 가기 위해 아침 일찍부터 밤샘 야간 자율 학습까지 빼먹지 않고 책을 달달 외울 정도로 인생에서 가장 열심히 치열하게 공부했으나 결국 원하는 대학에 가지 못했었다. 대학에 나의 꿈과 인생을 걸었던 나로서는 매우 절망적이고 희망조차 보이지 않았다. 하지만 그런 나의 절망이 주변 사람들에게도 물들까 싶어 애써 표현하지 못하고 친구들 앞에서는 괜찮은 척 하며 실없는 농담을 하고 부모님 앞에서도 속상하지 않은 척 속상함을 빠르게 이겨낸 척 했었다.

대학교에 첫 입학한 20살이 되었을 때는 친하게 지내던 남자아이와 공부도 같이하고 카페도 가고 꽃구경도 가고 좋아하는 옷도 공유하면서 좋아하는 감정이 생기게 되었다. 하지만 친구사이가 멀어질까 겁이 나서 나의 마음을 표현하지 못했고 마음을 꾹 눌러 담으며 쭉 친구로 지내다가 결국에 나 혼자 좋아하는 것 같은 마음에 지쳐 내가 관계를 놓아버리고 멀어지게 되었던 일도 있었다. 그러다 문득 내가 마음을 표현하지 않으면 상대방이 나의 감정을 모를 수 있겠다 생각이 들었고 앞으로 좋아하게 될 사람에게도 내 마음을 전하지 못한 채 계속 참고 있으면 전과 같이 지쳐서 멀어질 수도 있겠다는 조급한 마음이 들었다. 그래서 새롭게 좋아하게 된 상대에게 끝내 용기 내어 마음을 전했지만 나의 마음과 상대의 마음은 같지 않았다. 원했던 만남이 이루어지지 않아 매우 가슴이 아팠을 때에도 묵묵히 마음의 상처를 견뎌야만 했다.

나는 누군가를 내 마음에 담을 때 무척이나 신중하고 그 사람에 대한 마음, 생각 취향 등 모든 것들에 온 신경을 집중하는 편인데 그런 사람이 나의 마음을 거절했다는 것은 나로서는 굉장히 가슴이 미어지는 일이었다. 굉장히 슬펐지만 슬퍼하는 나날들로 하루를 보내기엔 많은 이들이 나의 우울에 물들까 싫었고 나 자신도 깊은 어둠에 잠식되는 것이 느껴져서 씩씩하고 밝게 아무일 없었다는 듯 나의 일상을 열심히 살아왔다.

그렇게 밝게 누구보다 씩씩하게 나의 삶을 잘 영위하고 살아가고 있는 줄 알았는데 다시 태어나고픈 나의 마음은 웃음기라곤 찾아볼 수 없을 만큼의 깊은 어둠에 잠식된 뒤에 불쑥 튀어나왔다. 나를 잠식시킨 모든 어둠의 요소는 일상생활에서의 공포와 수많은 실패 가운데 있었다. 어디로 튈지도 어떻게 추락할지도 모르는 집안의 분위기와 열심히 공부했지만 기대했던 결과물을 볼 수 없어 허무했던 학창시절. 혼자 좋아하고 서툴게 마음을 전해 이루어지지 못한 나의 사랑. 그 외에도 시덥잖은 이야기를 하는 사람들 사이에서 소외된 인간관계와 그저 본인들의 사정과 의견을 주장한 채 말도 안되는 일을 시키는 직장생활까지. 모든 순간에 그 어느 곳에서도 마음 둘 곳도 희망도 찾을 수가 없었다. 이러한 삶 가운데서 나의 마음은 많이 지쳤다. 지친 마음을 해결하기 위해선 모든 것들을 내려 놓아야 겠다고 생각했다. 하지만 난 안타깝게도 삶을 일찍 마무리할 수도 다시 태어날 수도 없었다. 일찍 마무리하려고 시도해봤지만 두려웠다. 모든 걸 포기하는 과정에서 느낄 고통과 젊은 날을 꽃 피우지 못 했다는 후회가 한편으로는 두려웠다. 또한 다시 태초의 세포가 되어 처음부터 시간을 되돌려 태어나는 것 또한 불가하다.

변하고 싶다
변하고 싶다
변하고 싶다
어떻게든 변하고 싶다

나의 마음과 삶은 지금과 달라지길 누구보다 간절히 바라고 있다.

자책하는 삶
슬퍼하는 삶
고달픈 삶
노하는 삶
어둠에 잠식된 삶이
너무나도 지겹다.

변화의 필요성을 느끼지만 여전히 나의 현실은 쳇바퀴 굴러가듯 똑

같다. 그 무엇도 흥미롭지 않다.

Chapter.2 변태를 위한 몸부림

나는 이러한 흥미롭지 않은 현실 가운데서 고군분투하고 있다. 이렇게 힘들고 속상한 일들을 계속 겪을 바에는 열정을 내서 굳이 세상을 살아갈 필요가 있을까 싶었다. 모든 걸 포기하고 싶은 마음이 컸지만 그런 마음을 조금은 접어두고 내가 살아야 하는 이유를 찾아보기로 했다.

내가 좋아하는 것들을 찾고 사랑하는 사람을 찾아보았다. 찾는 과정이 답이 정해져 있지 않고 너무나도 막연해서 쉽지 않을 것이라는 것을 알지만 모든 수단과 방법을 써서라도 어떻게 해서든 찾아야만 했다. 내 삶은 벼랑 끝에 놓여있기에.

애써 밝은 척 하기도 어려울 만큼 세상이 어두워만 보이고 눈물로 가득한 일상을 살고 있기에. 그래서 큰맘 먹고 용기를 냈다. 천천히 앞으로 변화를 위한 걸음을 한 발짝씩 발을 디뎠다.

"용기는 계속할 힘이 없는 것이 아니라, 힘이 없을 때 계속되는 것

입니다." - 나폴레옹 보나파르트

의외로 찾는 과정은 생각보다 다채로웠다. 답을 찾기 위한 이런저런 시도들이 퍼즐을 맞추는 것처럼 어울리는 옷을 입어보는 것처럼 흥미로웠다. 단순하게 마음 가는 대로 내가 좋아하는 것들을 따라가보고 그것들을 시도하는 것이 재미있었다.

아름다운 풍경을 보며 사진 찍는 것.
나의 감정과 생각들을 글로 표현해보는 것.
어렸을 때 재미로 그렸던 그림을 조금씩 배워보는 것.
좋아하던 노래를 배워보는 것.
예쁘게 나만의 공간을 꾸며보는 것.

생각보다 할 수 있는 많은 것들에 삶에 대한 기대감이 부풀어 오르기 시작했다.

하지만 쓰린 날들도 있었다. 실패했던 사랑을 무마하기 위해 또 다시 새로운 사랑을 찾으려 했으나 도무지 찾아지지 않던. 내 안의 보석. 즉, 나의 재능을 찾고자 했으나 좀처럼 감이 오지 않고 계속 길을 잃었던. 변화하고 싶은 마음과 나의 몸부림치는 과정들 그 외에도 사소한 나의 감정이나 속 이야기를 타인과도 공유하고 싶었지만 '누가 내 이야기를 들어주겠어..' 하고 생각하며 타인과의 소통을 단절하며 마음이 타인과 세상과 동떨어져 있는 시간이 점점 길어졌던. 그런 헤매는 날들이 오래도록 지속될 때 지독하게 쓰렸다.

Chapter.3 깨달음

변화는 마치 찬물과 따뜻한 물을 동시에 끼얹는 것 같은 그런 느낌이었다.

처음엔 '이게 뭐지?' 싶다가도 찾는 과정에서 매번 그런 온도차가 반복되다 보니 어느 순간 익숙해졌다. 삶을 살아가는 과정에서 미적지근함을 느낄 수 있는 사람이 되었다. 차면 그저 차갑고 뜨거우면 그저 뜨거운 것이라고 여겼던 이분법적인 생각에서 차갑고 뜨거운 것을 적절히 섞어서 생각할 수 있는 사람이 되었다.

즉, 삶에는 기쁜 일이 있으면 슬프고 힘든 순간도 있고 겨울이 있으면 봄이 있다는 것을 알게 되었다는 것이다. 그러면서 삶의 의미를 되새겼다. 마냥 슬픈 날만 존재하지 않고 마냥 기쁜 날만 존재하지 않는다는 것을. 멋진 성인이 되기 위해서는 적절한 조화와 담금질이 필요하다는 것을. 밝음과 어두움, 차가움과 뜨거움, 기쁨과 슬픔의 공존으로 그토록 내가 원하던 변화를 이룰 수 있다는 것을. 그 어떤 경험도 과정도 헛된 것은 그 무엇도 없다는 것을. 어둡고 차갑고 슬픈 것들이 마냥 나쁘지만은 않다는 것을.

"세상은 모든 사람을 무너뜨리고, 어떤 사람들은 부서진 곳에서 강해진다." - 어니스트 헤밍웨이

Chapter.4 내가 원하는 나의 모습

내 삶은 아직 한 권의 책으로 치면 거의 초반의 페이지에 머물러있다. 초반은 시작을 의미하며 다음 페이지를 기대하게 만든다. 나는 소소한 변화를 이제 시작했다는 뜻이다. 완전한 변화는 아직 멀었다. 이제야 변태를 위한 시도들을 통해 조금씩 답을 찾아가는 중이다.

나의 바람은 내가 더이상 그 누구의 눈치도 보지 않고 나의 길을 가는 것이다. 하고싶고 되고 싶은 모습으로 그저 쭉 나아가는 것이다. 나는 늘 내 꿈에 대해 누군가에게 가로막혔다. 그림을 그리고 싶다고 하면 '그게 돈벌이가 되겠니?', 글을 쓰고 싶다고 하면 '쓸데없는 짓 그만하고 그냥 열심히 회사나 다녀라.' 가수가 되고 싶다고 하면 '그건 그냥 취미로 하면 되지 않을까?' 라는 말을 수도 없이 들었고 나의 꿈과 재능에 대한 지지를 받은 기억이 많이 없다. 그러다 보니 점점 삶에 대해 간절함을 잃었다. 내가 원하는 것들은 다 안된다고 하니까. 하지만 시간이 지나며 타인은 내가 될 수 없다는 것을 알았다. 아무도 나의 편이 되어주지 않는다면 적어도 나는 내 편이 되어주고 나의 마음의 소리에 귀 기울여줘야 하지 않을까 생각했다.

나는 쉽게 낙심하는 사람이 되고 싶지 않다. 위와 같은 미적지근한 삶의 과정을 깨닫고 일희일비하지 않고 그 어떤 일이 있다 하더라도 묵묵히 나의 길을 가는 그런 사람이고 싶다. 나만의 색깔과 빛을 찾아서 빛을 내뿜는 그런 사람이 되고 싶다. 그리고 제대로 된 사랑을 하는 사람이고 싶다. 나이 서른이 되었음에도 불구하고 나는 사랑을 몰랐고 제대로 해보지 못했다. 마음을 표현하는데도 서툴고 혼자만의 시간을 좋아해서 타인에게 쉽게 소홀해지기도 한다. 나를 이해하기 어려운 지인들은 나를 떠나가기도 했고 나는 그들에게 맞춰주려 애썼던 나날들도 있었고 혹은 내가 지쳐서 떠난 적도 있었다. 그 문제는 반복이 되고 해결되지 못했다. 그 말은 즉, 나도 지인도 서로를 소중하게 생각하지 못했다는 것이다. 그만큼 타인과의 관계가 어렵고 사랑이 어렵다는 것이다. 사랑을 받으면 너무나도 좋지만 나 또한 누군가를 건강하게 사랑하고 건강하게 사랑받고 싶다. 하지만 나는 친구를 사귀는 일이나 연애나 결혼에 상당히 회의적인 편이다.

저런 말을 하는 저 사람은 나와 맞지 않을 것 같아.
누가 이렇게 초라한 나를 사랑해주겠어.
나 사랑하기도 힘든데 누군가를 어떻게 내 마음에 담겠어.
누군가를 좋아하게 되면 내 마음은 또 다시 상처를 받을 거야.

하며 밀어내는게 습관이 되었다. 밀어내는 습관에서 얻었던 생각은 그럼에도 불구하고 역시나 혼자는 너무나도 외롭다는 것이었다. 외롭지만 상처받을 것이 무서워 다가가지 못하는 나는 겁쟁이가 되어있었다. 이런 겁 많은 나의 모습에서 탈피해 진정으로 건강한 사랑을 하고 싶다. 나에게 힘이 되고 발전적이며 따뜻한. 따뜻함을 잊고 산지 오래되어서 내 마음이 따뜻하게 데워지는 그런 사랑을 하고싶다. 나도 누군가의 마음에 든든한 존재가 되고 싶다. 지금의 나는 누군가를 사랑하기도 겁나지만 언젠가는 나의 상처와 두려움을 극복하고 정말 멋진 사람과 건강하게 사랑하며 살아가고 싶다.

Chapter.5 너의 미래가 바라는 대로 이루어지길

내가 원하는 나의 모습을 보며 암흑 같던 나의 삶이 조금은 더 흥미로워지고 기대하게 된다.

이제껏 망망대해를 떠돌듯 삶의 의미도 행복도 목적도 없는 삶을 살아왔다면 이제는 내가 원하는 모습을 향해 나아갈 것이다.

책의 초반 페이지를 시작했다면 중간 페이지부터 끝 페이지까지 열심히 적어내려 가야하지 않을까. 오늘 이 시간부터 나는 중간의 페이지부터 끝까지 누구보다 열심히 치열하게 조화롭게 써내려 갈 것이다.

두렵다고 포기하지 않고 슬프다고 마냥 주저 앉아있지 않고 실패했다고 삶을 포기하겠다는 그런 생각은 하지 않을 것이다.

"힘은 승리에서 나오는 것이 아닙니다. 당신의 투쟁은 당신의 강점을 발전시킵니다. 고난을 겪고 항복하지 않기로 결정한 것이 바로 힘입니다." - 아놀드 슈왈제네거

물론 나의 말과 행동이 다르게 움직여지는 날도 있겠지만 그 때마다 생각할 것이다. 내가 원하는 나의 모습을. 나의 삶을. 지금껏 나는 행복하지 못할 것이라고 생각했다. 우울함은 변함없이 지속될 것이라고 생각했다. 그 생각이 오랫동안 나를 앞으로 나아가지 못하게 만들었다. 나는 우선 이 냉소적인 생각부터 바꿔 나가야 한다. 삶의 행복과 희망은 내가 어떻게 나의 삶을 영위해 나가는가에 따라 달라지는 것이니까. 수없이 넘어지고 우는 날이 있더라도 포기하지 않았으면 좋겠다. 포기하고 아무런 움직임이 없는 시간을 오래 보내다 보면 전과 같은 나의 모습으로 돌아갈 테니. 그런 시간들을 줄이며 나의 미래를 향해 나아가자.

노력하는 나에게 늘 잘하고 있다고 힘든 와중에 앞으로 잘 나아가고 있다고 칭찬해주자.

그 칭찬이 나를 더 앞으로 나아가게 만들 것이다. 노래에서도 말하는 대로 이루어 진다고 이야기 해주는 노래가 있다. 그 노래가 나에게 무척이나 힘이 되고 위로가 된다.

나의 삶을 살아갈 때 늘 이렇게 말하며 하루를 보냈으면 좋겠다.

너는 너의 개성과 색깔을 찾을 수 있어.

너는 힘든 일에 부딪혀도 쉽게 포기하지 않는 끈기가 있어.

너는 그 누구보다 멋진 사람이 될 수 있어

너는 사랑 받는 사람이 될 수 있어.

언젠가는 상처를 극복하고 제대로 된 사랑을 할 수 있을 거야.

삶은 너를 버리지 않았어. 삶을 버리고 포기하려고 했던 것은 지친 너의 마음이었어.

지친 마음을 넌 충분히 회복할만 한 힘이 있어

너에게 기쁜 일은 반드시 찾아올거야

너는 네가 그토록 원하던 너의 모습으로 나아갈 수 있을거야.

나는 여태 살면서 이런 말들을 그 누구에게도 들어보지 못했다. 이러한 응원의 말과 지지가 이렇게나 힘이 되는데 받아본 적이 없어서 이 말의 효과에 대해 잘 알지 못했다. 하지만 이제는 나 스스로에게 되뇌고자 한다. 말하는 대로, 생각하는 대로. 이루어지는 것이 나의 삶이니까.

나에게 이제는 하루하루가 기회이며 앞으로를 더욱 더 기대하게 만드는 너무나도 소중한 시간들이다. 한 걸음씩 나의 아름다운 삶을 향해 나아가자.

이제는 충분히 무엇이든지 잘 해낼 수 있다. 부족한 것은 없다.

'나'라는 사람은 부족하고 쓸모없는 존재가 아니다.

.

용기 내어 열심히 삶을 살아가고 묵묵히 나의 길을 가다 보면

어느 덧 책의 끝페이지에 다다를 것이고

그 끝페이지에 담길 내용은

그토록 내가 원하던 모습의 나로서 살아가며

후회없는 삶이었다고

내가 원하던 바를 충분히 다 이루며 살아왔다고

변화를 위한 모든 과정들을 잘 견뎌냈다고 다독이며

자연스러우면서도 만족스러운 삶의 끝을 맞이하게 되겠지.

"당신은 당신이 알고 있는 것보다 더 강합니다. 당신이 꿈꾸던 것보다 더 유능합니다. 그리고 당신은 상상할 수 있는 것보다 더 많은 사랑을 받고 있습니다." - unknown

잿더미 위로 쌓인 눈

다교

다교

1997년 서울에서 태어나 심리학을 전공했고, 현재까지도 서울에서 벗어나지 않고 있다. 어릴 적부터 자연을 벗 삼아 뛰고 놀기보다는 벽에 있는 무늬, 천장의 패턴, 특이한 모양의 건물을 보면서 상상하는 것을 즐겼다. 상상을 글로 옮기고 싶어 하지만, 어째 모든 글이 비문학이 되는 기적을 발휘하여 스스로 좌절감을 느끼곤 한다. 언젠가 글을 쓰는 일을 업으로 삼고자 한다.

1

그날은 해가 비치며 눈이 내렸다. 길에는 얕게 눈이 쌓였다. 사람들은 강 옆의 산책로를 조심조심 걸었다. 강아지는 통통거리며 눈밭을 신나게 걸었다.

마을이 쇠락하고 사람들이 떠난 골목길에도 눈이 쌓였다. 외로운 골목길엔 텅 비어있는 빛바랜 자주색 자루가 전봇대 옆에 축 늘어져 있었다. 아무도 찾지 않아 누구도 알지 못한 그것 위에도 눈은 소복이 쌓였다. 밤이 되고, 작은 사람이 홀로 남은 자루를 주워 갔다.

그날 새벽에 마을엔 불이 났다. 소방차가 도착했을 땐 마치 원래 그랬다는 듯, 마을은 아무것도 남기지 않고 사라졌다.

*

성민은 제단 위 화로에서 재를 퍼 어두운 자주색 자루에 담았다. 그리고 자루 입구를 질긴 밧줄로 단단히 매듭지어 꽉 묶었다. 성민은 자루를 어깨 뒤로 넘기고 한 손에 삽을 든 채로 놀들마을 뒷산을 올랐다. 무릎 뒤에 자루가 계속 부딪쳤지만, 그는 성큼성큼 힘차게 걸었다. 딱딱하게 굳은 표정과 깊게 팬 주름은 검게 탄 성민의 얼굴에 음영을 더 강하게 드리웠다.

사람들은 성민을 장의사라 불렀다. 그게 그의 직업은 아니었지만, 그가 마을을 위해 무거운 과업을 짊어졌기에 존경의 의미를 담아 그렇게 불렀다. 하지만 성민은 운명과 의무라는 이름에 감춰진 이 가혹한 현실이 더는 이어지지 않게 하리라고 다짐하고 있었다. 그는 산 중턱 공동묘지 너머에 있는 신당에 자루를 놓았다.

"내년이면 끝난다. 다음 겨울이 오면, 내 손으로 불을 죽인다. 그 끝을, 내 손으로 보겠다."

삽을 어깨에 걸치고 신당에서 걸어 나오며, 그는 되뇌었다. 재가 묻어 거뭇한 손은 강하게 쥔 주먹 때문에 허옇게 질렸다.

다음 해 2월, 성민은 늦은 밤 홀로 신당에서 자루를 가져와 뒷마당에 파놓은 구덩이에 던졌다. 자루가 자신을 바라보듯 입구 쪽을 위로 들어 올리는 것을 무시하고, 성민은 나무판자로 구덩이를 덮고 위에 천막을 깔았다.

*

은주는 한가로이 집 안을 청소한다. 이 평화로운 적막을 깨는 유일한 것은 청소기 소리뿐이다. 열어놓은 창문으로 아직은 차가운 바람이 들어와 으슬으슬하다. 아들 방문을 열자, 늘 같은 모습으로 깔끔하게 정리한 방이 눈에 들어온다. 다시 한번 어린이용 침대에 놓인 이불을 펴고, 먼지를 닦고, 인형을 침대에 올려놓는다. 오늘 밤, 1년 만에 은주의 아들, 겨울이 집에 돌아온다. 시간은 참 속절없이 지나간다.

은주는 문을 열고 밖으로 나간다. 어느새 노을이 지고 있다. 놀들이란 마을 이름과 어울리는 풍경이다. 깊게 심호흡한 뒤, 은주는 미소를 지으며 아들을 맞이할 준비를 한다. 지금부터 연습해 두지 않으면, 정작 웃어야 할 때 웃지 못할지도 모른다.

*

"숨을 쉬고 있으면 살아있다고 할 수 있을까?"

"그렇겠지."

"그럼 만약 절대 숨을 쉴 수 없는 물건이 숨 쉬는 걸 내가 봤다면 어떨 것 같아?"

"아이코, 놀라라. 정~말? 그거참, 신기하다. 어떻게 그런 일이 있을 수가 있을까?"

"하, 애기 달래는 투로 말하지 말아 줄래?"

"또 무슨 서프라이즈나 유튜브에서 본 얘기겠지. 이번엔 어떤 거야? 유령이 한 짓? 아니면 영상으로 돈 벌려고 조작한 건가?"

윤재는 말로 나를 속사포처럼 두들겨 패면서도 읽고 있는 책에서 시선을 한 번도 돌리지 않았다. 내가 뾰로통해 있자, 윤재는 그제야 나를 슬쩍 보더니 피식하면서 말을 이었다.

"관심 없는 게 아니야. 겨울이 네가 항상 내용을 제대로 기억 못 해서 끝까지 얘기해 준 적이 없어서 그래. 결말을 못 듣는 건 나한테도 꽤 괴로운 일이라고."

"알아, 나도. 근데 이번엔 직접 본 거야. 전에 불의 신을 모신다는 축제에서 공연하는 걸 봤는데, 크고 긴 뱀처럼 생긴 인형이 숨을 쉬듯이 펄떡펄떡 움직이더라니까?"

아 네 네 하면서 윤재는 여전히 책에서 시선을 떼지 않았다. 나는 한숨을 푹 쉬곤 걸터앉아 있던 침대 위로 기어 올라가 무릎으로 서서 창밖을 보았다. 키가 작아 창문 밑의 길거리는 침대에서 일어나야지만 보여서, 그 대신 해가 내리쬐는 한없이 맑은 하늘을 눈에 담았다. 적당히 따듯해진 날씨는 겨울이 끝나간다는 걸 실감 나게 했다. 봄이 오고 있다.

그 순간 나는 가슴을 움켜잡고 옆으로 쓰러졌다. 흉통이 도졌다. 나는 숨을 쌕쌕 들이쉬다 왼팔로 침대를 짚고 겨우 일어났다. 윤재는 재빠르게 책상 위에 놓인 진통제를 하나 꺼내 나에게 물과 같이 건넸다. 약을 삼키고 벽에 기댄 채 숨을 고르다, 가슴을 주먹으로 천천히 두들겼다. 차라리 폐를 직접 꺼내서라도 병원에서도 알아내지 못한 이 통증의 원인을 알아내고 싶었다. 어느 정도 지나자, 통증이 가라앉았다. 딱딱하게 긴장된 몸이 그제야 풀렸다.

어릴 적부터 나를 괴롭히던 흉통이 요즘 더 심해지고 있다. 얼마 전에는 도저히 견딜 수가 없어 진통제를 통째로 들이부어 토요일 새벽에 응급실로 실려 가기까지 했다. 덕분에 윤재는 대학 생활을 하는 와중에 내 약까지 신경 써야 하는 이중고에 시달리게 되었다. 그런데도 괜찮다고 웃어주는 윤재는 볼수록 나 자신에게 한숨만 나왔다. 생명이 꽃피어 나는 것과 반대로, 나는 바람 앞에 놓인 작은 불씨처럼 예정된 죽음을 향해 차디찬 발걸음을 내딛고 있었다.

"괜찮아졌으면 슬슬 나갈까? 그래야 여유롭기도 하고, 바람을 쐬면 더 나을 테니까."

한쪽 팔을 들고 오케이 사인을 보냈다. 그냥 안 괜찮은 척하고 누워 버리고 싶기도 했지만, 윤재에겐 거짓말할 마음이 안 생긴다. 나는 침대에서 뛰어내려 코끼리가 그려진 가방에 간단하게 옷가지를 챙겨 넣고 어깨 너머로 넘겼다. 허리에 가방이 꽤 세게 부딪쳤지만, 옷가지밖에 없어서 그런지 타격은 전혀 없었다. 집을 나서서 버스를 타고 서울역에 가자, 천안아산역행 열차는 이미 도착해 있었다. 열차에 올라 옆자리에 앉은 윤재는 붉은 겉표지에 제목이 없는 책을 꺼내 읽었다. 책을 넘기는 사락사락 소리와 함께 열차는 철길을 따라 달렸다. 창밖을 보니 서서히 노을이 드리우는 하늘이 금빛과 붉은빛이 섞여 이글거렸다. 그 하늘을 보고 있자니 괜스레 소름이 돋아 고개를 돌렸다.

1시간이면 갈 만큼 가까운데도 본가에 언제 내려갔는지 기억이 잘 안 난다. 물론 엄마를 보기 불편한 건 절대 아니다. 오히려 즐겁다. 같이 요리도 하고, 화단에 물도 주고, 아빠 산소에 벌초하러 가고. 편하게 쉬러 가는 건 아니지만, 그래도 함께 한다는 것만으로도 좋다.

도착 예정 시간까지 10분 정도 남았을 때, 윤재는 책을 덮고 선반에 있는 우리 가방을 꺼내 나에게 건넸다. 가방을 가만히 껴안고 있으니, 둘 사이에 애매한 침묵이 흘렀다. 뭔가 말을 꺼내야 할 것 같은 기분에 사로잡히던 찰나, 아까 끝내지 못한 이야기가 생각나 말을 꺼냈다.

"그러고 보니까, 내가 출발하기 전에 하려고 했던 이야기 말이야. 커다란 인형이 숨도 쉬고 마구 움직이고 그랬다는 이야기, 기억나?"

윤재는 인자한 미소를 지으며 나를 돌아보았다. 그 표정을 보니 괜히 당황스러워 움찔했지만, 아무렇지 않은 척 헛기침하고 말을 이었다.

"축제가 끝나고 공연한 사람을 찾아가서 대체 어떻게 한 건지 물어봤거든. 영업 비밀이라 안 알려줄 줄 알았는데 그냥 바로 말해주더라. 혹시 등불 축제라고 알아?"

"종이 등불에 불을 붙여서 날리는 그거? 풍등 말하는 거야?"

"역시, 바로 아네. 어쨌든 그거하고 같은 원리야. 얇고 가벼운 내화성 소재로 만든 작은 등불에 실을 달고 밑에서 조종하는 거래. 하늘에 있는 꼭두각시를 땅에서 조작하는 느낌이지."

"생각보다 원리는 간단하네. 살아 숨 쉬는 건 아니기도 하고."

"직접 보면 그렇게 생각 안 할걸? 알고 있어도 놀랄 만큼 조종을 잘해서 말이야."

나는 고개를 위로 젖히고 버스 천장을 보았다. 그러다 피식 웃었다. 지금 하고 싶은 이야기가 아무리 생각해도 어이가 없어서 웃겼기 때문이었다.

"근데 나 말이야, 왜 이렇게 불이 좋을까?"

"응?"

"몇 년 전에 우리 둘 집에 불났었잖아. 그때 너희 부모님하고 우리 아빠가 돌아가셨고."

나는 잠시 말을 멈추고 발을 하나씩 위아래로 흔들었다. 허리를 등받이에 대고 있지 않은데도 내 짧은 다리는 허공을 맴돌았다. 그리고 한참 위에 있는 윤재의 얼굴을 고개를 올려다보며 말을 이었다.

"근데도 난 불이 좋아. 그냥 들여다보기만 해도 좋고, 타는 소리도 좋고, 냄새도 좋고. 가끔은 이상하게 따듯해 보여서 손을 갖다 댈 뻔하기도 했단 말이지. 참, 이상하지?"

"뭐, 그럴 수 있지. 취미 활동을 하다가 큰 사고를 당해도 회복하면 다시 그 취미를 이어가는 사람들도 많잖아. 비슷한 것 아닐까?"

우리 모두에게 민감한 이야기라 위태로운 내면에 돌을 던지는 것은 아닐지 굉장히 고민이 많았는데, 윤재는 놀라울 정도로 담담하게 내 이야기를 들었다. 다행이라 해야 할까, 아니면 그저 감정을 숨길 뿐인 걸까? 그때 열차가 속도를 줄이더니 곧 멈춰 섰다. 승객들이 일어나 열차 밖으로 나갔다. 우린 다른 사람들이 전부 내릴 때까지 가만히 앉아 있었다.

이글거리던 하늘도 위세가 꽤 줄었지만, 태양을 등진 거대한 건물들은 여전히 그림자가 져서 시커멓게 보였다. 그 사이를 지나가고 있으니 왠지 전부 불에 타서 뼈대만 남은 도심지를 걸어 다니는 느낌도

들었다. 정류장에서 놀들마을로 향하는 버스에 올랐을 땐 어느새 시간은 6시를 향하고 있었다. 이제 버스를 타고 1시간 정도 가면 목적지에 도착한다. 어차피 시간이 꽤 남았던지라, 나는 가방에 얼굴을 받치고 잠깐 눈을 붙였다.

한 10분쯤 지난 줄 알았는데, 윤재가 나를 흔들어 깨웠다. 눈을 비비며 무슨 일이냐고 물으니 다음 정거장에서 내려야 한다고 했다. 알겠다곤 했지만, 도저히 정신이 나질 않아 창문을 열고 바람을 쐬었다. 어느새 어둑어둑해진 길거리엔 가로등이 줄줄이 켜져 있었다. 올려다본 하늘을 많지 않은 별이 드문드문 장식했다. 곧 정류장에 내린 우리는 저 멀리 붉은빛이 가득한 마을로 걸어갔다. 그러고 보니, 내일이 불의 신을 모시는 제사 겸 축제가 시작하는 날이다.

*

휘황찬란한 빛으로 가득한 마을은 밤하늘의 별을 따서 갖다 놓은 것처럼, 그래서 밤하늘이 텅 비어있다고 믿을 만큼 아름다웠다. 색도 모양도 가지각색인 등불이 집 처마나 전봇대 등 여기저기 매달려 있었고, 붉은 천에 흰색과 노란색 실로 자수를 놓은 장식이 간이로 세운 기둥과 기둥을 연결하거나 각 기둥 꼭대기에서 아래쪽으로 늘어뜨려져 있었다. 마을 중앙 넓은 공터에는 위에 평평하고 넓은 장식이 올려진 나무 기둥으로 둘러싸인 높은 돌 제단 위에, 거대한 화로가 보였다. 나 같은 어린애는 10명도 여유롭게 들어갈 만큼 커서 안에 장작을 채우는 데 나무를 몇 개를 써야 할지 알 수 없을 정도였다. 지금은 비어있지만 말이다.

흰 두루마기처럼 생긴 제사복을 입은 마을 사람들은 장식품과 가판대를 설치하고 짐을 옮기느라 중앙과 골목길을 왕래하며 바삐 움직이고 있었다. 그중에는 기다란 뱀처럼 생긴 종이로 만든 인형도 있었다. 저게 분명 윤재에게 축제에서 봤다고 말했던 살아 움직이는 인형이 틀림없었다. 그렇다면 저 인형을 본 장소가 바로 여기라는 뜻인데, 왜 매년 찾아오는 이곳이란 것을 기억하지 못했는지 의문이었다.

그때, 누군가가 뒤에서 쿵 하고 부딪혔다. 앞으로 고꾸라지다 겨우 허우적대며 중심을 잡고 뒤를 돌아보니, 앞이 보이지 않을 정도로 짐을 들고 오던 사람은 후다닥 짐을 내려놓고 있었다. 나에게 미안하다고 말하려던 찰나, 갑자기 그 사람 얼굴이 환해졌다. 그리곤 주변 사람들에게 겨울이가 왔다고 크게 소리쳤다. 그 말에 자기 할 일 하던 사람들이 죄다 내 쪽으로 몰려왔다. 잘 지냈느냐면서 악수도 하고 어깨도 두드리고 머리도 쓰다듬는 통에 정신을 차릴 수가 없었다. 그때 '죄송합니다'하는 말과 함께 사람 틈을 비집고 들어온 윤재가 내 팔을 잡고 사람들 틈바구니에서 나를 빼냈다. 난리 통에서 꺼내줘서 고맙긴 했지만, 윤재의 얼굴이 내가 아는 사람이 맞는지 헷갈릴 정도로 굳어있어 괜찮은 건지 걱정이 앞섰다.

엄마 집은 뒷산 입구 바로 앞에 있다. 윤재가 초인종을 누르자, 환한 미소를 지은 엄마가 문을 열었다. 엄마는 나를 꼭 안았다. 왜인지는 모르겠지만, 나를 안고 있는 엄마의 손길이 나를 붙잡는 느낌이 들었다.

곧 엄마는 나를 놓아주고 윤재와 나를 집 안으로 안내했다.

오랜만에 온 집은 모델하우스에서 보여주는 집만큼이나 정갈했다. 먼지 하나 안 보이는 가구들과 미끄러지면 제일 안쪽 방에서 현관까지 직행할 것처럼 걸레질한 나무 합판 바닥, 방금 새로 붙여도 여기만큼 못할 게 분명한 벽과 천장까지. 오히려 부자연스러워 보일 지경이었다.

"이렇게나 깨끗하게 청소하신 거예요? 이러실 필요까진 없는데."

"1년 만에 우리 아들 오는데 이 정도쯤이야. 깨끗해서 나쁠 것도 없잖니."

"그래도 이건 거의 새집이잖아요. 너무 죄송한데…."

"어머나, 걱정해 주는 거니? 우리 아들 기특하기도 해라."

엄마는 나를 품에 안고 머리를 쓰다듬었다. 여전히, 나를 안는 엄마의 손길에서 부드러움보다는 붙드는 느낌이 들었다.

저녁 밥상은 이미 차려져 있었다. 윤재와 엄마보다 높은 의자에 앉아 조갯살을 넣은 미역국에 병어조림이 차려진 식사를 시작했다. 어려서부터 난 고기보단 더 생소한 맛인 해산물이 좋았다. 물과 바다의 향이 직접 바다에 가지 않아도 입안 가득 퍼지는 게 좋았다. 식사하는 동안 우린 말이 없었다.

식사를 마치고 윤재와 이야기하려고 했는데 이미 소파에 앉아 꾸벅꾸벅 졸고 있었다. 엄마도 설거지를 금방 끝내고 방으로 들어가셨다. 어쩔 수 없이 엄마와 윤재에게 편히 쉬시라고 말한 뒤 내 방으로 들어가 이불 위에 누웠다. 이불에서 향긋하고 편안한 냄새가 났다. 침대에 놓인 인형에서도 같은 냄새가 났다. 지금 잠들면 다음 날 아주 상쾌한 기분이 들 것 같았지만, 나에겐 아주 중요한 할 일이 하나 남아 있다. 나를 붙잡는 이불을 떨쳐내고 몸을 일으켜 현관을 나섰다. 소파엔 윤재가 없었다. 아마 방에 들어간 모양이었다.

나는 아빠 산소가 있는 산 중턱의 공동묘지로 향했다. 잠시 혼자 조용히 있기에 좋은 곳이라 종종 혼자서도 온다. 특히 공동묘지 제일 안쪽에 있는 신당은 수수하면서도 이국적인 느낌이라 좋다. 하지만 오늘은 아빠 산소만 들를 예정이다. 7시가 조금 넘었는데도 가로등 없는 산길은 어두웠지만, 뒷산은 정상까지도 눈 감고 갔다 올 만큼 익숙하다. 오늘같이 달빛이 어두운 산을 밝게 비추는 날은 아무 문제 없다.

달을 구경하다 보니 어느새 공동묘지에 도착했다. 아빠 산소는 이미 깔끔하게 벌초한 상태였다. 산소 앞에 앉아 불어오는 바람을 느꼈다. 아빠가 돌아가시고 시간이 많이도 흘렀다. 엄마도 겉으론 괜찮아 보이시지만, 마음의 상처가 치유되셨는지 나도 알 수 없었다. 내가 할 수 있는 건, 늘 그랬듯 손을 모으고 엄마의 마음이 평안하시기를 아빠께 비는 것뿐이었다. 찬 바람이 불었다. 2월 초인데도 밤은 아직 영하권인지라 몸이 부르르 떨렸다. 빠르게 자리를 털고 일어나 아빠에게 인사하고 산에서 내려갔다.

산 입구에 거의 다다랐을 때, 어디선가 대화하는 소리가 들렸다. 소리가 들리는 방향엔 빛이 없어 아무것도 안 보였다. 조심스레 소리의 근원지에 가까이 가니 실루엣이 약간 보였다. 나는 주변 풀숲에 몸을 숨기고 목소리에 집중했다.

"…그러니까, 의식을 내일 하자는 말이냐?"

첫마디 이후로 잠시 대화가 끊겨 신원을 파악할 시간적 여유가 생겼다. 지금 들은 목소리는 연식이 있지만 또박또박한 발음, 질문인데도 말끝이 묘하게 축 처지는 할아버지 말투였다. 아, 이장님이다. 마을 곳곳에 달린 스피커로 온 마을에 퍼지는 아침 방송에서 들리는 목소리다.

하지만 들려온 다른 목소리에 내 집중력은 산산이 부서지고 말았다.

"…네. 부탁드립니다."

"벌써 20년이란다. 이젠 보내 줄 때도 됐잖니."

"네, 알아요. 아는데…. 그냥, 모르겠어요. 마음 굳게 먹었다고 생각했는데. 저한테는 여전히 살아 있어요. 그렇게 쉽게 보내 줄 수가 없어요…."

윤재다. 울먹이고 있다. 대체 왜? 마땅한 이유를 떠올리려 머리를 굴렸지만 이미 완전히 헤집어진 뇌로는 아무것도 생각할 수 없었다. 이 혼란스러운 틈에 또 다른 목소리가 들렸다.

"저는 찬성합니다. 하루 정도 늦어도 문제가 될 건 아무것도 없으니 잠시 시간을 주죠. 아직 이쪽도 준비가 안 끝나기도 했고."

"하지만 이건 이 마을에 부여된 의무일세. 그리고 축제 기간에는 외부에서도 사람이 오지 않나. 그렇게 마음대로 미룰 수 있는 문제가 아닐세."

"어차피 제가 없으면 그 중요하신 의식을 제대로 마무리도 못 하잖습니까? 뭐, 괜찮으시다면 불을 붙이고 재를 퍼서 담는 게 어려운 일은 아니니 저는 지금 마을을 떠나겠습니다."

이장님은 잠시 끙, 하고 앓는 소리를 내다 일정을 조정해 보겠다고 말했다. 그 후론 별다른 내용 없이 대화가 금방 끝났다. 빠르게 걸어 내려가는 소리 하나와 천천히 걸어가는 소리 하나가 들렸다. 그리고 한동안, 한 명이 우는 소리가 들렸다. 나는 움직이지 않고 풀숲에 가만히 앉아 있었다. 울음이 그친 건 시간이 꽤 지난 후였다. 일정하지 않게 타닥타닥하는 걸음 소리는 금방 사라지고 현관문을 여는 소리가 났다. 우리 집이었다. 나는 그러고도 10분이 지나고 나서야 몸에 묻은 흙과 나뭇잎 조각을 털어내고 집에 들어갔다.

거실 소파에서 윤재가 자고 있었다. 한 번 안아주기라도 하든, 퉁퉁 부었을 눈에 얼음주머니라도 가져다주든, 이상하게 틀어진 허리를 바로 잡고 이불이라도 덮어주든, 무엇이든 하고 싶었다. 하지만 그 곁에 선뜻 다가가지 못했다. 아직 모든 게 혼란스러웠다. 내일 윤재와 둘이 천천히 뒷산이라도 거닐며 이야기해야겠다고 다짐하며 방으로 들어갔다. 가슴이 두근거렸다. 아렸다. 하지만 타는 흉통은 아니었다.

침대에 누워 코끼리 인형을 끌어안았다. 윤재는 코끼리와 닮았다. 착하고 유약해 보이지만 사실 성격이 꽤 불같고 키도 크고 힘도 셌다. 둘 다 내가 가장 좋아하기도 하고. 나는 코끼리를 탄 사람처럼 윤재의 어깨에 앉아 세상을 배웠다. 하지만 그런 윤재도 얼마든지 힘들 수 있다는 것을 이해하지도, 망가졌을 마음을 위로하지도 못하고 도망쳐 버렸다. 얼굴을 인형에 파묻었다. 이 인형에서만 오랫동안 나무 장롱에 넣어놓은, 오래된 이불 냄새가 났다. 집에 그런 장롱이 있었던가, 하는 생각이 들었지만, 그 향에 빠져들어 천천히 잠이 들었다.

3

하늘은 맑았다. 밤에 비나 눈이 온다는 예보가 믿기지 않는 날씨였다. 오전 10시가 되었는데도 윤재는 일어나지 않았고, 엄마도 웬일로 지금에서야 일어나셨다. 이렇게 일찍 일어난 김에 축제 구경이나 다녀와야겠다. 나는 옷을 챙겨입고 주방에서 물을 마시는 엄마께 말했다.

"엄마, 저 잠깐 산책 갔다 올게요."

잘 다녀오렴, 이라는 엄마의 목소리가 들렸다. 어째선지 목소리에 힘이 없다고 느껴졌다.

마을로 향하자, 어제 이장님이 말한 것처럼 사람이 꽤 북적였다. 어젯밤의 화려한 등불의 향연은 밝은 햇빛 덕에 잘 드러나지 않았지만, 그래도 밤사이 더욱 화려하게 장식된 모습이 제대로 보이니 그 나름의 맛이 있었다. 담장을 따라 걸어놓은 수많은 그림과 사진은 수백 년 전부터 마을에서 불의 신의 제사를 지내던 모습을 시간 순서대로 보여줬다. 시간이 현재와 가까워질수록, 경건한 제사보다는 축제처럼 화려하고 경쾌한 분위기가 났다.

부모님을 잃어버렸는지 묻는 관광객분들의 호의를 뒤로하고 마을 중앙으로 갔다. 공터, 아니 이젠 축제의 중심지라 할 수 있는 이곳엔 골목길과 비교가 안 될 만큼 사람이 많았다. 흰 제사복을 빌려 입은 아이들이 뛰어다녔고, 가판대에서 산 등불 모양 풍선을 들거나 금색 실로 화려하게 자수를 놓은 붉은 목도리를 두르고 제단 위의 거대한 화로 주변에서 사진을 찍는 사람들도 있었다. 가이드는 제단 옆에서 관광객들에게 마을의 제사 의식을 설명하고 있었다.

"불의 신을 모시는 제사 의식은 놀들마을이 세워진 시점부터 현재까지 수백 년의 전통을 지니고 있습니다. 인류 역사에서 불은 가장 아름답고 유용하면서도 위험한 존재였습니다. 그렇기에 불에 신격을 부여하고 숭배하는 것은 자연스러운 일이었죠. 이 마을의 사람들은 불로 인해 죽어간 모든 생명을 기리기 위해, 그리고 불의 신이 그들을 기억해 주기를 바라는 마음으로 제물을 불에 태워 신께 바치고 재를 자루에 담아 신당에 보관했습니다. 놀랍게도. 이러한 의식의 날에 여러 초자연적인 일이 일어났다는 기록도 많이 남아 있습니다. 예시를 들자면, 불이 붙은 화로에서 사람이 걸어 나왔다거나, 재를 담은 자루의 입구가 저절로 열리고 재가 하늘로 솟구쳐 신의 형상을 이루었다는 전설도 존재합니다. 이러한 현상은 신이 세상에 직접 강림한 것이라 여겨졌다고 전해집니다.

하지만 이런 제사 의식은 현대에 들어선 거의 찾아보기 힘들어졌습니다. 지금으로부터 17년 전, 전통적인 제사 의식에서 제물을 바치는 것을 법적으로 금지하는 제물 의식 금지법이 시행되면서 의식 대부분이 형식만 유지하고 지역 축제로 전환되었습니다. 하지만 이곳은 전국에서 손에 꼽을 만큼 적은 수만 남은, 전통적인 제사 양식을 유지한 곳입니다. 특히 불의 신을 모시는 의식은 제물을 불에 태워 신께 바치는 제사가 중심이 되었기 때문에 '제물 의식 금지법'에 가장 큰 타격을 입었는데도 제사 의식을 유지하고 있다는 것은 이곳 사람들의 신에 대한 믿음과 전통에 대한 존중심이 얼마나 뛰어난지 보여주는 증거라 할 수 있습니다.

자, 이제 곧 징이 울리면 제사 의식이 시작될 겁니다. 모두 이쪽을 봐주세요."

아, 저 설명 덕에 잊고 있던 이야기가 떠올랐다. 윤재가 말해준 건데, 본래 제물을 바쳐 자연신을 모시는 제사 의식이 전국적으로 오랜 전통을 유지하고 있었다. 하지만 가이드가 설명한 제물 의식 금지법이 발의되었다는 소식이 전해지면서 과거부터 유지하던 전통적인 제사 형식을 당장 바꿔야 하는 상황이 되자, 사람들은 혼란에 빠졌다고 한다. 게다가, 이젠 자연신을 믿지 않는 사람과 의식에 너무 예산이 많이 들어간다며 불만을 가진 사람도 매우 많았던 터라, 전국의 제사 의식 대부분이 마을 축제로 바뀌어 관광객을 유치하는 방향으로 전환되었다. 물론 신이 노하신다며 극구 반대하던 사람들도 있었지만, 막상 축제가 시작되고 돈이 쭉쭉 들어오니 그런 목소리가 싹 사라졌다고 한다.

그리고 이 놀들마을도 사실 한동안 제사 의식을 그만뒀었지만, 얼마 안 가 마을에 30건이 넘는 연속적인 화재가 발생하면서 제사 의식이 부활했다. 여기까지가 윤재가 해준 이야기다.

그때, 징이 울리며 의식의 시작을 알렸다. 흰 제사복과 흰 천을 머리에 두른 사람이 기둥 위의 넓은 장식 위에 서 있었다. 그는 팔을 높게 들고 손에 들고 있는 부채처럼 생긴 도구를 착 접자, 끝 쪽에서 불꽃이 확 피어올라 횃불이 되었다. 이어서 그는 무릎을 꿇고 앉은 자세로 절을 3번 올리고, 자리에서 일어나 횃불을 화로 안으로 던지니 엄청난 크기의 불꽃이 화로에서 피어올랐다. 관광객들은 감탄하며 박수했다. 곧 화로 앞에 모인 국악단이 연주를 시작했고, 춤을 추는 사람들이 등장함과 동시에 뱀 모양의 인형이 하늘을 날아 화로 주위를 돌았다. 웃음소리와 박수 소리, 카메라 셔터 소리가 축제를 풍성하게 채웠다. 하지만 나는 정신없이 울리는 수많은 소리 사이로 희미하게 들리는 한 목소리에 꽂혔다.

"…네. 뒷산 신당에 자루가 없었습니다. 다른 곳도 찾아볼 테니 걱정하지 마십시오.…"

저 목소리는 분명 어젯밤에 이장님과 대화하던 그 의문의 사람이다. 소리의 근원지를 찾아 고개를 두리번거리다, 통화를 하면서 골목길로 빠지려 사람들 사이를 비집고 들어가는 사람이 보였다. 물론 그런 행동은 흔하지만, 주변을 아랑곳하지 않고 어깨에 삽을 걸치고 가는 건 충분히 수상한 모습이다. 나는 그 사람을 뒤쫓아 빠르게 움직였다. 골목 쪽으로 나왔을 땐 다행히 그 사람은 전화하며 천천히 걸어가고 있었다. 뒷모습을 보니 확실히 흰머리가 조금씩 보이는 중년 아저씨였다. 아저씨는 마을 입구를 지나서 길을 따라 걸었다.

사실 굳이 몰래 쫓을 필요는 없다. 그냥 다가가서 어제 무슨 일이 있었는지 물어도 상관없을 것이다. 하지만 아직 정확하게 무슨 일이 있었는지 윤재에게 묻지 않고서 다른 사람에게 먼저 물어볼 용기는 나지 않았다. 그래서 나중에 이야기를 듣더라도 일단 저 아저씨에 대해 조금이나마 알아두는 게 더 나을 것 같았다.

길을 따라가니 보이는 거라곤 논이나 산, 그 외엔 허허벌판뿐이었다. 주변에 숨을 장소도 없어 같은 길을 가는 행인처럼 가고 있긴 했지만, 사실 아저씨는 이미 눈치챘는데 모르는 척해주는 게 아닌가 싶었다. 그렇게 마을 입구가 저 멀리 작게만 보일 만큼 걷자, 넓은 벌판에 덩그러니 있는 집이 보였다. 아저씨는 길을 벗어나 그 집으로 걸어갔다. 나는 잠시 그 자리에 멈춰서 따라가야 할지 고민했다. 그때, 아저씨가 뒤를 돌아 나를 보고 외쳤다.

"왜 거기 멍하니 서 있냐? 어제 무슨 일이 있었는지 궁금해서 따라온 것 아니냐? 일로 와라. 얘기해주마."

설마가 사람 잡는다더니. 나는 침을 한번 삼키고 길을 벗어나는 발걸음을 떼었다.

*

윤재가 잠에서 깼을 땐 이미 정오가 넘어간 시간이었다. 허리가 반쯤 틀린 채로 잤더니 사방의 근육에서 비명을 질러대는 통에 일어나는 데에만 한참이 걸렸다. 은주는 물컵을 쥐고 식탁 의자에 가만히 앉아 있었다. 윤재는 한숨을 쉬듯 말을 내뱉었다.

"아주머니, 의식을 오늘 밤에 한다고 하더라고요. 그래서 저하고 겨울이는 내일 올라가기로 했어요. 아직 시간은 넉넉해요."

은주는 답이 없었다. 이런 위로 아닌 위로가 아무 소용 없다는 건 잘 알고 있었다. 은주도 윤재에게 물었다.

"윤재야. 오늘 의식에 참여하기로 한 건 네가 스스로 정한 거니?"

역시 아무 답 없이, 그저 제대로 관리하지 않아 푸석한 자기 머리카락을 검지로 빙글빙글 감아 쭉 잡아당겨 툭툭 끊어지게만 하고 있었다. 만지작거리던 컵을 입에 가져다 댄 은주는 체온에 약간 미지근해진 물을 후 불어 조금씩 마셨다. 기묘한 침묵이 서늘한 공기를 채웠다. 그 침묵에는 암묵적인 인정과 이해가 담겨 있었다. 자식을 잃은 부모의 마음을 온전히 이해할 수 없다는 것을 알았고, 부모와 친구를 구해내지 못했다는 죄책감의 무게가 그를 으스러뜨릴 만큼 크다는 것도 알았다. 그렇기에 둘은 아무 말 없이 서로를 위로했다. 그렇게 버틴 세월이 20년이었다. 버텨야 했던 이유는 둘이 같았다. 여전히 이 마을에 매여있는 공통된 단 하나인, 겨울을 위해서였다.

하지만 철옹성 같던 의지도 오랜 세월 풍파를 겪으며 조금씩 생긴 균열로 약한 충격에도 무너지는 때가 온다. 매년 불구덩이에서 살아나오는 아들을 보며 그에게 혐오마저 느낀 은주가 그랬고, 5살 때 모습에서 자라지 못하면서도 아무것도 모른 채 자신을 보고 웃는 겨울을 보며 윤재가 그랬다. 무너진 두 마음 위엔 오늘 같은 찬 바람만 불었다.

"윤재야. 횃불을 쓰러뜨린 건 네 잘못이 아니야. 자책하지 말렴."

윤재는 씁쓸히 웃었다. 은주도 윤재에게 이런 말은 위로가 되지 않는다는 건 알았다. 그저 손에 든 미지근한 물을 단번에 들이키기밖에 할 수 없었다.

*

아저씨 이름은 성민이었다. 매우 다부진 몸매와 미성인 목소리 덕에 도저히 50대로 보이지 않았다. 자신은 대형 화물차 기사를 업으로 삼아 마을엔 거의 오지 않는지라 내가 자기를 몰라도 이상한 건 아니라고 말했다. 삽은 왜 들고 다니는지 물으니, 집 뒷마당에 구덩이를 메우려 했는데, 마침 이게 필요한 일이 생겨서 그냥 계속 들고 다녔다고 말하며 삽을 한 손으로 빙 돌렸다. 그리곤 어제 이장님과 윤재와 무슨 대화를 했는지 알려주었다.

"원래 축제가 시작하는 날 하루 전에 마을 사람들만 모여서 따로 진행하는 의식이 있다. 그걸 오늘 하자고 윤재가 부탁한 거지. 이장은 오늘은 밤에도 사람이 많아서 안 된다고 한 거고. 물론 내가 그러자고 하니까 알겠다고 했지만. 그리고 대화는 끝났다. 간단하지?"

"아저씨가 의식에서 굉장히 중요한 역할인가 보네요. 불을 붙이고 재를 푼다고 말씀하셨던 것 같은데."

"맞다. 듣기엔 별거 아닌 것 같지? 그럼 생각해 봐라. 왜 나만 그 역할을 맡고 있을까?"

"마을 사람들만 모여서 하고, 외부인이 보면 안 되고, 장작을 태운 재를 푸는 게 그렇게 중요한 일이 아니니…. 그러면 혹시, 제물을 바치는 의식인가요?"

"오, 정답. 의식이 끝나면 화로에 남은 재를 자루에 퍼 담아 신당에 모시는 게 내 일이다. 그래서 사람들은 날 장의사라 부르지."

"장의사요? 제물은 동물이나 인형 아닌가요? 아니면 걔들도 장례를 치러주는 건가요?"

"아니. 제물은 사람이다. 안 그러면 나한테 화로에 불을 붙이고 삽질하는 짓을 미룰 이유가 없지. 신을 달랜다는 양반들이 죽은 인간 영혼이 무섭기라도 한 건지. 우습지 않니?"

그때까지도 난 아저씨가 농담하는 줄 알았다. 설마, 아니겠지. 진짜로 사람을 바친다는 게 말이 되는 이야기일 리가 없으니까. 하지만 아저씨는 거기서 그치지 않았다.

"윤재도 이번 의식에 제물로서 참여할 거다. 스스로 그렇게 하겠다고 했지. 그 애가 그런 선택을 한 건 굉장히 의외였다. 부모님이 돌아가시고도 그렇게나 열심히 살았는데, 갑자기 이젠 쉬고 싶다고 말하더군. 무슨 심경의 변화가 있었는지 알 순 없지만, 참 안타까운 일이야."

다리가 굳어 자리에서 멈췄다. 윤재가 죽으려 한다고? 왜? 심장이 요동쳤다. 다시 가슴이 타오르기 시작했다. 겨우 가쁜 숨을 헐떡댔다. 식은땀이 흘렀다. 머리를 마구 흔들며 아저씨의 말을 털어내려 했다. 윤재에게 가야 한다. 가서 직접 이야기를 들어야 한다. 그러지 않고선 저 말을 믿을 수 없다. 흐르던 땀이 눈에 들어가 눈물이 솟구쳤다. 소매로 눈을 닦고 살짝 눈을 뜨니, 아저씨는 뒤를 보고 있었다. 그 시선을 따라가자, 전혀 예상하지 못한 상황이 펼쳐졌다. 흙투성이인 자주색 자루가 집 옆의 담장을 지나 꿈틀대며 이쪽으로 기어 오고 있었다.

시야가 눈물로 흐려서 잘못 본 건가 싶어 눈을 깜빡이는 동안, 아저씨는 한숨을 푹 쉬고 핸드폰을 꺼내 전화를 걸었다. 상대가 전화를 받자, 매우 곤란하다는 목소리로 이야기를 전했다.

"지금 제집에 왔는데 자루는 보이질 않네요. 네네. 알아서 움직인 게 아니냐고요? 그럴 리가요. 20년 전에 불탄 집에서 사람이 살아 나온 이후론 지금까지 아무 징조도 없지 않았습니까. 그러니까 걱정하지 마시고 기다려 보십쇼. 제가 어떻게든 해볼 테니까."

전화를 끊고 아저씨는 성큼성큼 자루 쪽으로 걸어갔다. 이 상황에서 대체 어떻게 해야 할지 알 수 없었다. 그렇게 엉거주춤하게 서 있는 사이, 아저씨는 거침없이 그 커다란 자루를 어깨 뒤로 넘겨서 매고 담장 쪽으로 걸어갔다. 그 순간, 갑자기 방금 낚은 활어처럼 자루가 펄떡여 아저씨를 고꾸라뜨렸고, 땅에 떨어진 자루는 온몸을 들썩여 나에게 빠르게 다가왔다. 코앞까지 온 자루는 마치 나를 쳐다보듯 입구를 위로 들었다. 눈앞에 있는 이게 뭔지 짐작도 안 됐지만, 나도 모르게 손을 뻗어 매듭을 쥐었다. 그러자 매듭이 순식간에 재가 되었고, 활짝 열린 자루 입구에서 회색 가루가 엄청난 기세로 뿜어져 나왔다.

그건 재였다. 온 사방으로 퍼지며 자루에서 전부 빠져나온 재는 한곳에 모여 소용돌이쳤고, 소용돌이는 위로 떠올라 거대하고 긴 뱀 모양으로 변했다. 재로 둘러싸여 겉에선 보이지 않는 불이 뱀의 눈과 입에서 새어 나왔고, 그 열기에 벌판의 마른 풀에 불이 붙었다. 공중에서 똬리를 튼 뱀은 나를 내려다보고 있었다. 하지만, 열기만으로 주변을 깡그리 태워버리는 불을 품은 그 뱀이 두렵기는커녕, 아름다웠다. 흉통이 이미 눈이 녹듯 사라졌다. 나는 미소를 지었다. 지금 나의 눈은 그 어느 때보다 밝게 빛나고 있을 것이다. 내 마음에 응답하듯, 뱀은 입을 벌려 나에게 불씨를 뿌리곤 똬리를 풀고 마을 쪽으로 순식간에 날아갔다. 반딧불처럼 흩날리던 작은 불씨들을 고이 모은 손안에 담자, 마치 내 몸에 흡수되는 것같이 슬며시 사라졌다.

그때 머릿속에 기억이 흘러들어왔다. 수백, 수천, 아니, 셀 수도 없이 많은 사람의 추억과 그리움, 행복과 불행, 아름다움과 추악함이 파도를 이루어 나를 휩쓸었다. 하지만 그 속에서도 정신은 한없이 또렷했다. 저 파도 너머에, 진실을 보여줄 빛이 있다고 확신했다. 조금 더 집중하면, 기억을 헤치고 더 가까이 헤엄쳐 가면 알 수 있을 것 같았다. 그런 내 노력은 다리에 전해진 강한 충격에 박살이 났다.

다리에서 머리로 전해지는 고통에 정신이 아득해 앞으로 쓰러졌다. 찢어진 다리 피부에서 피가 나오고 있었다. 일어나려 했지만, 팔이 부들부들 떨려 힘이 들어가질 않았다. 아저씨는 내 앞에 앉아 피가 묻은 삽을 흙에 박고, 손가락으로 미간을 꾹 눌렀다.

"20년 전에는 불구덩이에서 살아 나오더니, 이젠 불을 품은 뱀까지 불러냈네. 일 복잡하게 만드는 게 적성에 맞나 봐? 이장 새끼가 또 신의 현신이네 뭐네 하고 헛소리하는 걸 볼 생각하니 골이 다 띵하네."

고통과 두려움에 머리가 제대로 돌아가질 않았다. 난 이제 6살인데 20년 전이라는 건 무슨 말일까. 그리고 내가 불구덩이에서 살아나왔다고? 신이라면 이 마을에서 모시는 불의 신을 말하는 걸까? 이야기의 흐름을 아예 종잡을 수 없었다. 동시에 아까는 전혀 느끼지 못했던 의문점이 나를 찾아왔다. 그 뱀은 대체 뭐였을까. 왜 두렵기보다는 아름답고 친숙했을까. 불씨들에서 흘러들어온 기억은 무엇을 보여주는 것일까. 애초에 그 기억을 왜 나에게 준 걸까. 지금 나는 어떤 질문에도 답을 할 수 없었다.

"재미없는 얘기 하나 해줄까? 네 아버지와 윤재 부모를 죽게 만든 그 화재를 너도 알고 있을 거다. 그건 사고가 아니야. 이장이 지시한 일이지. 왜일까? 너와 윤재가 의식을 망쳤기 때문이지. 근데 솔직히 망쳤다고 하기에도 민망한 수준이야. 그냥 제단에 세워둔 횃불 하나를 실수로 넘어뜨린 것뿐이었으니까. 하지만 이장은 너희가 의식을 어그러뜨렸으니 너와 윤재를 제물로 바쳐야 신이 분노를 가라앉힐 거라고 말했다. 당연히 부모들은 반발했지. 부모로서 당연한 반응이었다. 그때는 흐지부지하게 넘어갔지만, 신의 분노를 살까 그리도 걱정되었는지, 너희 두 가족이 전부 잠든 시간에 이장과 마을 사람들은 집에 불을 질렀다. 그 불지옥에서 은주 씨와 윤재만 겨우 살아나왔지. 그게 사건의 전말이다. 하지만 하이라이트는 지금부터야.

그 둘을 불타는 집에 다시 던져넣으려고 할 때, 네가 불을 뚫고 걸어나왔다. 온몸이 불타고 있는 채로 멀쩡히 걸어 나온 너를 보고 공포에 빠진 사람도 있었고, 숭배하는 사람도 있었고, 신이 강림하셨다면서 기뻐하는 사람도 있었지. 사람들에게 넌 신이 존재한다는 증거였다. 그때 사람들 꼬락서니가 진짜 볼만 했는데. 어쨌든, 그 이후로 은주 씨

나 윤재에게 위해를 가하기라도 하면 마치 불의 신이 분노한 것마냥 마을에 불이 나거나 뒷산의 신당이 폭발하기도 했지. 그 덕에 한동안 의식이 중단됐다. 내 가족을 전부 집어삼키고도 멈추지 않은 그 탐욕스러운 의식이 네 덕에 멈춘 거다. 참 평화로운 나날이었지."

아저씨가 하는 말 하나하나가 내 머리에 폭풍우를 일으켜 뇌를 헤집어 놓았다. 머리가 하얗게 비어갔다. 다리의 감각도 점점 사라지고 있었다. 이대로 흙바닥에 머리를 박고 누워버리고 싶었다. 내 상태에 관심도 없는 아저씨는 삽을 잡고 일어서며 말을 이었다.

"안타깝게도, 정부에서 제물 의식을 금지하면서, 의식에 대한 이 마을의 열정이 다시 살아났지. 그리고 이장은 널 장작 삼아 붙인 불에 닿으면 모래만큼이나 고운 재만 남기고 완벽하게 타버린다는 사실도 알아냈다. 유일한 부작용이라면 네 기억이 거의 다 날아가 버린다는 거였다만, 그딴 걸 신경 쓰는 놈이 어린애인 너를 화로에 던져넣고 불을 붙이겠냐. 참, 지독한 놈들이야.

이쯤 되면 알겠지. 내 목적은 이 정신 나간 의식을 끝내는 거다. 신이 분노해서 마을을 떠나든, 직접 강림하든, 마을 전체를 재로 만들든, 그 결과에 도달할 수만 있다면 과정은 아무 상관 없다. 이장이 알면 팔짝 뛸 얘기지. 그래서, 난 가장 빠르고 확실한 방법을 선택했다."

그러곤 내 머리에 삽을 겨눴다. 그 행동에 담긴 의중을 이해하자 온몸이 부들부들 떨리기 시작했다. 그런 나를 본 아저씨는 피식 웃으며 삽을 내 머리 위에 톡 올렸다.

"이제 내가 널 죽일 거다. 넌 기억 못 하겠지만, 매년 너에게 불을 붙여서 화로에 던지던 게 나였으니 다를 것도 없지. 너무 걱정하진 마라. 신에게 선택받았는지, 네가 신인지 뭔지는 잘 모르겠지만, 넌 특별하다. 그건 나도 인정해. 개인적으로는 네가 신이었으면 좋겠군. 그럼 허심탄회하게 이야기를 나눌 수 있을 것 같거든. 뭐 어쨌든, 당장은 고통스럽긴 하겠지만, 이걸로 너와 내가 바라는 것을 얻을 수 있을 거다. 넌 너 자신의 정체에 대해 알게 될 거고, 난 어떤 식으로든 망할 제사의 끝을 볼 거고. 그러니."

머리에 닿은 삽이 떼어짐과 동시에 나는 쓰러졌다. 이 순간만을 위해 오래 갈고 닦은 덕인지, 보이지도 않을 정도로 빠르고 정확하게 휘두른 삽은 내 머리의 반절을 뚫고 들어와 박혔다. 아프지 않았다. 아니, 아무 감각도 안 느껴진다고 해야 하나. 세상이 어둠에 잠기기 직전에, 아저씨가 나에게 건네는 말이 들렸다. 이 상황에서 참 이상한 말이지만, 같은 사람이라 생각할 수 없을 만큼 차분하고 부드러운 목소리였다.

"조금 있다가 다시 볼 수 있길 바라마. 푹 쉬어라, 겨울아."

4

땅거미가 뒷산 너머로 스멀스멀 기어갈 즈음, 마을은 다시 화려한 빛으로 감싸였다. 매년 보는 풍경이긴 했지만, 오늘이 마지막이 될 윤재에겐 더더욱 아름다웠다. 아이들은 작은 LED를 넣은 종이 등불을 부모님 어깨에 앉아 들고 다녔고, 부모와 연인들은 사진에 풍경을 담느라 정신이 없었다. 오늘은 예년에 비해 사람이 더 많았다. 제사가 진행되는 도중에 엄청난 크기의 무언가가 하늘을 뒤덮는 압도적인 광경에 사람들 이목이 쏠린 덕이었다.

제단 주위에는 해가 완전히 지면 하늘에 날릴 풍등이 쌓이고 있었다. 저 풍등은 이 놀들마을의 작은 축제가 외부로 알려지는 데 아주 큰 공이 있다. 겨울에, 그것도 산골에서 풍등을 날리는 축제를 한다는 소식에 산불 위험이 있다면서 시민단체가 시위하고 기자들이 진을 쳤었다. 하지만 20년 동안 단 한 번도 화재가 일어나지 않았고, 이젠 거의 소실된, 불의 신을 모시는 전통적인 제사 절차 중 하나라는 게 알려지면서 역사와 전통의 아름다움을 가장 안전하게 보여주는 축제라는 이름으로 기사가 쓰이고 지역의 유명 관광지가 되었다. 그 덕에 불을 다루느라 다소 위험할 수 있는데도 가족 단위로 손님이 많이 찾아왔다.

천천히 마을을 돌아다니던 윤재는 입구 쪽에서 걸어오는 성민을 보았다. 보통 의식을 하는 날이면 항상 삽을 들고 다니시는데, 오늘은 그러지 않은 게 의아했다. 그래도 의식을 하루라도 미룰 수 있게 해준 것에 감사 인사라도 하려고 그에게 다가갔다.

"안녕하세요. 오늘은 처음 뵙네요. 어디 다녀오셨나요?"

"마을 밖에 뭐가 있긴 하니? 그냥 집에 있었지."

"아, 아저씨. 혹시 오늘 점심쯤에 제사 지내다가 하늘에 나타났다는 게 뭔지 아시나요? 제가 조금 많이 늦게 일어나서 그 절경을 보질 못

했거든요."

"그거? 별거 없던데. 그냥 아주 새까만 구름이었지. 애초에 지금까지 집에 있다가 온 거라, 대충 창밖으로 지나가는 것만 봐서 나도 잘 모른다."

윤재가 그런가요, 라고 말하곤 잠시 대화가 끊겼다. 사실 윤재가 아는 한, 성민은 말이 많은 사람이 아니었다. 관계가 나쁜 건 아니었지만 20년이란 시간 동안 제대로 대화를 나눠본 경우가 손에 꼽았다. 하지만 오늘 성민은 전에 본 적 없는 밝은 얼굴을 하고 있었다. 목소리도 얼굴만큼이나 힘찼다. 기분 좋은 거야 좋은 거지만, 어젯밤엔 평소와 다를 바 없는 굳은 얼굴이었던 터라 당황스러운 건 어쩔 수 없었다. 그 덕에 오히려 무슨 좋은 일이 있는지 묻기가 쉽지 않았다. 그때, 성민이 윤재에게 질문했다.

"윤재야. 너 의식에 진짜로 참여할 거냐?"

윤재는 다 알고 있지 않냐는 미묘한 웃음을 지었다. 어쩌면 입꼬리가 한쪽만 올라갔을지도 몰랐다. 성민은 그저 껄껄 웃고는 마을 중앙 쪽으로 걸어가며 질문을 이어갔다.

"이렇게 끝내기엔 아직 너무 아까운 삶 아니냐? 너도 알겠지만, 아직 세상엔 볼 것도, 할 것도 엄청나게 많아. 내가 트럭 운전해서 알잖냐. 세상은 넓어."

"말씀만이라도 감사하네요. 하지만 제가 왜 그러는지 아시잖아요. 이젠 조금은…, 편해지고 싶어요. 그것뿐이에요."

"그래. 이해 못 하는 건 아니다. 겨울이 때문이겠지."

둘은 어느새 제단이 있는 중앙 구역까지 다다랐다. 하늘엔 달과 별이 떴지만 구름에 가려 보이지 않았다. 마을 사람들은 풍등과 작은 성냥을 관광객들에게 건넸다. 윤재와 성민도 그것을 받아 불을 붙였다. 곧 제단 앞에 있던 사람의 징 소리와 함께, 풍등은 하늘로 날아올랐다. 별 없는 하늘에 다시 별을 돌려놓듯, 수많은 불빛이 하늘에 수를 놓았다. 그 모습은 마치 마을 전체가 불타며 불씨가 하늘로 솟는 듯했다.

"아름답네요. 겨울이도 같이 봤으면 좋았을 텐데. 이걸 가장 좋아했거든요. 매년 기억이 사라졌으니, 항상 새로웠겠죠."

윤재는 미간을 찡그리며 웃었다. 하늘을 보던 눈을 땅으로 옮기고, 성민에게 회포를 풀었다.

"만약 그날 제가 횃불을 넘어뜨리지 않았다면, 화장실이 가고 싶어 겨울이와 같이 자던 방에서 나오지 않았다면, 부모님이 계시던 방을 불을 뚫고 들어갔다면, 겨울이가 있던 방에서 들리던 문을 두드리는 작은 소리를 지나치지 않았다면, 다들 행복하고 평범하게 살았을 거예요. 평생 크지도 못하고 기억도 사라지고 가슴이 불에 타는 고통을 겨울이가 겪지 않아도 되었을 테죠. 아니면 최소한, 제가 그 고통을 겪었을 수도 있었을 거예요.

게다가, 불에 타 죽으면 영혼이 불의 신 곁으로 간다고 하잖아요? 그러면 부모님도, 겨울이 아버지도 만날 수 있을 거예요. 가서 그분들께 사과하고 싶어요. 다 제 탓이라고, 제가 잘못해서 이렇게 됐다고. 그러고 나면, 저는 편안해질 수 있을 것만 같아요. 그래서…."

윤재의 말은 갑자기 불어온 강한 바람에 흩어졌다. 풍등은 바람에

날려 이리저리 흩어지거나 땅으로 추락했다. 모든 사람은 같은 방향을 보고 있었다. 따라간 시선 끝에서 불길에 휩싸인 뒷산이 보였다. 하지만 거대한 불에 홀린 듯, 그 자리에 가만히 서서 아무도 도망가지 않았다.

성민은 윤재의 팔을 잡고 인파를 뚫고 제단 쪽으로 데려왔다. 뒷산을 집어삼킨 화염에서 심장 고동 소리가 들렸다. 불의 형상도 마치 심장이 뛰듯 사방으로 퍼지고 줄어들길 반복했다. 그때 성민은 윤재의 어깨에 손을 올렸다. 뒤를 돌자, 빛나는 눈을 하고 환희에 찬 성민의 얼굴이 보였다. 그는 어느 때보다 기쁜 목소리로 윤재에게 말했다.

"하하! 제때 잘 돌아왔구나. 이제 가봐라. 지금 겨울이에겐 네가 필요할 거다."

처음엔 그 말을 이해하지 못했다. 하지만 곧 한 가지는 확실해졌다. 저 불길 속에 겨울이가 있다. 그리고 무엇보다, 저 불이 은주 아주머니 댁 근처까지 퍼질지도 모른다. 윤재는 곧바로 인파를 뚫고 뒷산을 향해 달렸다. 거대한 화염은 거대한 입을 벌려 울부짖듯이 위로 치솟았다. 그 광경을 보며, 성민은 조용히 읊조렸다.

"이 마을이 어떤 결말을 맞을지는 이제 너에게 달렸다. 어떤 결말일지, 기대되는군."

*

눈을 뜨자, 신당이었다. 분명 마을에서 한참 벗어난 곳에서 삽이 머리에 박힌 걸로 기억하는데, 어쩌다가 여기에 오게 된 걸까. 몸은 깃털처럼 아주 가벼웠다. 다리에 약간만 힘을 주어도 하늘로 둥 떠올라 멀리 날아갈 듯했다. 신당과 마찬가지로 뒷산은 불에 휩싸여 있었다. 마을까진 아직 불이 퍼지지 않았다. 다행이라고 생각하는 게 자연스럽겠지만 어째선지 아쉽다는 생각이 들어 무의식적으로 팔로 마을을 가리켰는데, 갑자기 산 전체의 불이 산사태가 나듯 마을로 쏟아져 내리기 시작했다. 깜짝 놀라 팔을 머리 뒤쪽으로 넘기자, 불길은 다시 원래 위치로 돌아갔다. 이게 대체 무슨 상황인지 이해하기엔 아직 모든 게 너무 막연했다. 사방에서 들리는 두근거리는 소리는 머리를 더 복잡하게 만들었다. 거대한 생물의 가슴에 귀를 대고 심장 소리를 듣고 있는 느낌이었다. 그렇게 생각하니 문득 아까 자루에서 튀어나온 뱀이 생각났다. 뱀이 뿌린 불씨에서 본 기억들은 여전히 달 없는 밤하늘의 등불처럼, 내 의식 너머에서 둥둥 떠다니고만 있었다. 조금 더 가까이서 볼 수 있다면 좋을 텐데.

그때, 뒷산에 퍼진 불이 구 모양으로 나뉘어져 풍등처럼 하늘로 떠올랐다. 불빛은 어두운 하늘에 기나긴 은하수를 이루었다. 전에 본 적 없는 장관이었다. 얼굴에 절로 미소가 떠올랐다. 나는 설마 하는 마음에 손을 하늘 높이 뻗어 검지를 펴고 손을 지휘하듯 움직였다. 그러자 하늘의 은하수가 내 손가락을 따라 공중을 유영했다. 작은 호기심에 확신이 들었다. 저 불빛들은, 뒷산에 퍼진 불길은 내가 생각하는 대로 움직인다. 머리 위로 올린 양손을 펼치고 이쪽으로 오라고 소리치자, 은하수는 한데 뭉쳐 운석이 되어 나에게 충돌해 하늘까지 닿는 불기둥이 치솟았다. 하늘을 덮은 구름에도 구멍이 뚫려 너머의 달빛이 지상을 비췄다. 내 몸도 불길에 휩싸였다. 뜨겁다기보단 따듯했다. 문득, 거대한 산불 속을 지나왔는데도 내가 새까맣게 타버리지 않았다는 것을 깨달았다. 아저씨가 한 말이 생각났다. 내가 불의 신에게 선택받았든, 불의 신 본인이든 둘 중 하나라는 것. 사실 어느 쪽이 맞는지는 중요하지 않다. 결국 온전히 내가 누구인지 몰랐기에, 내면의 불을 깨닫지 못했기에, 끊임없이 내 가슴을 태워 진실을 알려주려 했다는 것을 깨달았으니까.

나는 치솟는 불기둥을 따라 천천히 공중으로 떠올랐다. 다시 한번, 수없이 많은 사람의 기억이 전보다 훨씬 더 명확하게 보였다. 전설에서 묘사한 대로, 모든 이의 마지막 기억은 불에 휩싸여 죽는 것이었다. 살아생전의 기억도 눈에 들어왔다. 누군가의 가족이었고, 연인이었고, 친구였고, 원수였다. 모든 인생이 행복하진 않았지만, 모든 인생은 불처럼 빛나고 반짝였다. 서서히 내 몸이 불이 되어 흩어지는 게 느껴졌다. 하지만 사라지는 게 두렵지 않았다. 이제 나는 불 그 자체가 되어 잿더미 뱀과 함께, 불타버린 영혼들을 위로하고, 때론 세상에 불을 뿌리기도, 때론 거두기도 할 것이다. 이젠 알 수 있다. 나는, 불의 신이다.

"…우라…."

어디선가 익숙한 목소리가 들린다. 누구지? 셀 수 없이 많은 사람의 기억 속에서도 찾을 수 없는 목소리. 하지만 그립고도 아름다운 목소리. 이건….

"겨울아!"

윤재다! 그 순간 나는 땅으로 추락했다. 그리고 누군가가 나를 받아냈다. 고개를 돌리자, 소방복에 방독면까지 완벽하게 무장한 사람이 보였다. 순간 그 사람이 누군지 알면서도 몸이 움츠러들었다. 그 모습을 보고 윤재는 방독면을 벗어 얼굴을 보여주었다. 그제야 긴장이 풀렸다. 잠깐이지만, 가장 소중한 사람의 목소리를 못 알아들을 뻔했다. 소름이 돋았다.

"하하, 다행히 늦지 않게 왔구나. 하늘로 올라가고 있어서 설마 승천하는 건가 했는데, 아직 죽진 않았네. 안심이야."

"그런 옷은 어디서 구했어?"

"아, 너희 어머니가 주셨어. 내가 곧바로 불타는 산으로 뛰어가려니까 목덜미를 잡아채서 주시더라고. 어휴, 여전히 힘 엄청 좋으시더라. 잘하면 오기도 전에 목 졸려 죽을뻔했어."

나는 윤재에게 안긴 채로 웃었다. 윤재도 따라 웃었다. 우리 둘이 같이 이렇게 편안하게 웃는 게 얼마 만인지 기억도 안 났다. 20년 동안 윤재는, 그리고 엄마는 정말로 웃은 적이 단 한 번도 없었을지도 모른다고 생각하니 입 안에 씁쓸한 맛이 돌았다. 하늘에선 조금씩 작은 불덩이가 떨어졌다. 올려다보니 불기둥은 구름 위로 거대한 태양처럼 뭉쳐 달을 가리고 있었다. 그 덕에 하늘이 전보다 조금 더 밝아 보였다. 손으로 떨어지는 불덩이를 받았다. 따듯했다. 윤재는 불을 받은 손의 반대 손 장갑을 벗고 손가락을 불에 가져다 댔다.

"신기하다. 뜨겁지 않네. 친절한 불이구나. 이런 표현이 맞는진 모르겠지만."

"친절하다, 라…. 딱 어울리는 말인 것 같은데."

따듯하고 친절한 불. 어찌 보면 참 안 어울리는 말이지만, 지금 우리 손에 있는 것에는 아주 잘 맞는 말이다. 그렇다면, 난 어떤 불이어야 할까? 나, 윤재, 엄마, 그리고 성민 아저씨의 인생에서 불은 언제나 끔찍한 비극을 가져왔다. 불을 사랑해 마지않는 나 자신을 스스로 이해하지도 못했던 내가, 불의 신이 되어 세상에 불을 피우고 그렇게 죽은 영혼들을 위로한다는 건 상상조차 하지 못했던 일이다. 이 모든 걸 그저 운명이라고, 어쩔 수 없는 일이라고 받아들이기엔 걸려 넘어질 돌과 헤치고 나가야 할 높은 풀이, 타고 넘어가야 할 험난한 바위산이 너무나도 많았다. 차라리 모든 걸 내려놓고 소중한 사람 곁에 머물고 싶었다. 하지만 이제 와서, 수많은 사람의 기억을 품어 놓고선 무책임하게 홀로 행복을 찾아 떠나버리는 것이 가능한 건지도 알 수 없었다. 답답했다.

그때, 하늘에서 날카로운 울음소리가 들렸다. 태양 같은 불덩이가 마치 두꺼운 털실 뭉치에서 실을 확 잡아당기듯 풀어 헤쳐지며 지상으로 내려오기 시작했다. 저런 모습을 표현할 수 있는 가장 정확한 표현을 알고 있다. 신이 강림한다.

순식간에 주위가 다시 불로 휩싸였다. 아까와는 다른 뜨겁고 강렬한 불. 전신이 불인 뱀이 우리를 둘러싸 똬리를 틀었고, 더욱 맹렬하게 타오르는 눈으로 내려다보고 있었다. 그 얼굴을 보자마자 그가 잿더미 뱀이라는 걸 알아챘다. 하지만 재로 덮여 있을 때보다 크기가 몇 배는 더 커져 있었다. 윤재의 품에서 내려와 뱀에게 가까이 다가가자, 그도 머리를 내려 나에게 가까이 왔다. 적대감이 느껴지진 않았지만, 가까이 다가가기도 어려울 만큼 맹렬하게 타오르는 불꽃은 그 느낌을 의심할 수밖에 없게 했다. 그렇다고 이대로 계속 있다간 윤재가 위험해진다. 심호흡하고 콧잔등에 손을 올리자, 온몸에 불이 옮겨붙었다. 상상을 뛰어넘는 고통에 무릎이 풀려 주저앉았다. 가슴 속을 태우던 고통이 전신에서 느껴졌다. 구역질이 났다.

하지만 왼쪽 어깨에 닿은 손길에, 고통이 서서히 약해졌다. 고개를 돌리자, 나를 보며 웃는 윤재에게도 불이 퍼졌다. 그 얼굴에서 식은땀이 미친 듯이 흘러내리기 시작했다. 어깨에서 손을 떼려 했지만, 조용히 고개를 젓는 모습에 그럴 수 없었다.

"나만 아니었으면, 네가 그 고통을 겪지 않아도 됐을 거야. 그 짐을 대신 짊어지고 싶었어. 하지만 그럴 수가 없잖아. 그래서, 그 고통을 나누고, 이해하고 싶었어. 이제야 조금은 알 수 있을 것 같아. 넌 평생, 이런 것에 시달려 왔구나. 미안해. 나 때문에…."

그 커다란 눈에서 눈물이 흘러나왔다. 어깨에 얹은 손은 떨리고 있었다. 아, 그렇구나. 내 소중한 사람들이 절대 풀리지 않을 고통에 이렇게나 시달리고 있었구나. 하지만 이젠 눈물만 흘리진 않겠다. 이제 내가 가야 할 목적지는 너무나도 밝은 빛을 내뿜고 있었다. 고개를 돌려 앞을 보고 발로 땅을 강하게 짚고 일어서며, 눈앞의 뱀에게 웃어 보였다. 난 불의 신이 될 거다. 하지만 오롯이 나 자신으로 남을 것이다. 부스러뜨려지고 짓이겨져 망가진 내 기억과 인생이라도, 무엇보다 소중한 사람들과 함께한 이 삶을 내려놓진 않을 거다.

내 결심을 알아본 듯 뱀은 손에서 머리를 떼고 꼬리로 살짝 감아 나를 높이 들었다. 그리고 천천히 자기 몸에 두른 불을 나에게 건네기 시작했다. 아까처럼 온몸이 불탔다. 하지만 이번엔 불이 되어 흩어지지 않고 온전히 불꽃을 내 안에 품었다. 그와 함께, 아까는 보이지 않았던 익숙한 이들의 기억이 보였다. 성민 아저씨의 가족, 윤재의 부모님, 그리고 아빠. 그 기억들 속에서, 윤재의 그 무겁디무거운 죄책감을 조금이나마 덜어줄 수 있을 말을 찾았다. 생각이 통했는지 뱀은 꼬리를 살짝 풀어 몸이 윤재를 향하게 해주었다. 난 소리쳤다.

"윤재야! 네가 횃불 쪽으로 넘어진 건, 뒤에서 짐을 들고 오던 사람이 횃불 앞에 서 있던 너를 못 보고 부딪쳐서 그런 거야! 네가 아니어도 누구나 할 수 있는 실수였다고! 그러니까, 이젠 자책하지 마! 네가 훌훌 털어내고 새롭게 시작하는 걸 보고 싶어!"

하, 후련하다. 멀어서 잘 보이진 않았지만, 분명 울면서 슬쩍 웃었을 거라고 믿었다. 내일 엉덩이에 뿔이 났는지 확인해 봐야겠다. 그러려면 일단 내 할 일부터 마무리해야지. 나는 뱀을 보며 고개를 끄덕였다. 뱀은 남은 불을 단번에 쏟아부었다. 온기가 온몸으로 퍼졌다. 내 모든 걸 가져갔고, 동시에 나에게 모든 것을 준 위험하고도 아름다운 그 불과 기묘한 합일을 이루는 순간을 난 두 눈 똑똑히 뜨고 지켜보았다.

불을 전부 건네주고 손바닥 위에 올라올 만큼 작아진 뱀을 재로 감쌌다. 전부 타고 남은 잔불은 재 속이 더 편할 테니까. 이젠 잿더미라기엔 많이 자그마해진 뱀을 목에 둘렀다. 뱀은 불타는 혀를 날름거렸다. 나는 뒤로 돌아 멍하니 나를 바라보던 윤재에게 물었다.

"나 어때?"

"…평소랑 똑같은데."

"그렇지?"

나는 활짝 웃었다. 무슨 상황인지 어리둥절해 보이는 윤재의 손을 잡아 일으켜 세우고 산 밑으로 성큼성큼 걸어갔다. 어쩌다 보니 질질 끌려가는 형국이 된 윤재는 발걸음마다 흔들리는 목소리로 물었다.

"어디, 가는, 거야?"

"집에! 가기 전에 엄마한테 인사드려야지. 이번엔 조금 멀리 떠나볼 생각이거든. 근데 지금 우리 다 몰골이 말이 아니야. 일단 조금 쉬자. 그러고 나서도 이야기할 시간은 아주 많아."

뒤를 돌아보니 윤재는 잠시 생각하다 나름 납득한 듯 고개를 끄덕였다. 나는 웃으며 집으로 힘차게 걸어갔다. 예보대로 하늘에선 눈이 내렸다. 하늘로 올라가는 풍등과 반대로 달빛에 빛나는 흰 눈이 모두에게 내려앉았다.

5

축제는 성황리에 끝났다. 뒷산을 뒤덮은 화염이 보여준 엄청난 퍼포먼스 덕이었다. 관광객들은 그저 홀로그램 기술이 뛰어나다거나 연출력이 굉장하다며 감탄했다. 더는 자연신을 믿지 않을뿐더러, 뒷산에 직접 가봐도 마른풀과 나뭇가지 하나조차 타지 않은 것을 본 사람들에겐 거대한 불길은 그저 화려한 볼거리에 불과했다. 그 덕에 뒷산에 불이 났다고 신고하는 사람은 없었다. 놀들마을의 비밀은 지켜졌다.

하지만 알려지든 말든 별 의미는 없었다. 축제가 끝난 다음 날, 불의 신이 된 겨울이가 마을을 떠난다고 선언했기 때문이었다. 사람들은 반발했지만, 손짓 한 번에 거대한 화로를 펄펄 끓는 쇳물로 만들어 버리자, 모두가 입을 다물었다. 그리곤 겨울이는 삽을 가져와 성민이 아저씨 머리에 톡 올렸다. 난 무슨 상황인지 몰랐지만, 아저씨는 껄껄 웃었다.

겨울이 어머니와 아저씨, 우리까지 네 사람은 늦은 밤까지 지난 20년 동안 있었던 수많은 일들을 이야기했다. 삽으로 머리를 반으로 갈랐다는 이야기에 다다랐을 때 아저씨가 석고대죄하며 어머님께 사과했다. 어머님은 아무 상관 없으니 부담스럽게 계시지 말라고 하셔서 다들 웃었다. 이 풍경이 믿기지 않았다. 꿈만 같았다. 깨어나야 한다면 차라리 영원히 잠들고 싶을 만큼, 멋진 꿈이었다.

이튿날, 겨울이는 떠날 채비를 했다. 세상을 돌아보고 자기가 할 수 있는 일이 무엇인지 알고 싶어서 먼 여행을 떠나기로 했다. 물론 딱히 챙길 짐은 없어 코끼리가 그려진 빈 가방만 챙겼다. 어디로 갈지, 얼마나 걸릴지도 모르는 여행길로 가장 소중한 사람을 떠나보내는 심정은, 뭐랄까, 마땅히 설명할 말이 없었다. 복잡한 심경에 겨울이 어머니께 이렇게 떠나보내도 괜찮으시겠냐고 물었다. 어머님은 이미 마음으로 떠나보낸 지 오래고, 실제 나이로 따지면 독립해 자신의 길을 찾아갈 때도 되었으니 상관없다고 하셨다. 두 눈은 진실을 말하고 계셨다. 맞는 말씀이다. 붙잡고 싶은 건 내 욕심이니, 잘 배웅해 주는 것이 내가 해야 할 일이다.

다 같이 점심을 먹고 겨울이는 가방을 챙겨 집을 나섰다. 뱀의 입에 살짝 입김을 불자, 작은 뱀은 순식간에 불타는 눈을 가진 거대한 뱀으로 변했다. 그리고 우리에게 다가와 한 명씩 인사했다. 성민이 아저씨와 악수하고 덕담 아닌 덕담을 나눴다. 어머니의 품에 꼭 안겨 잘 다녀오겠다고 말했고, 어머니도 우리 신경 쓰지 말고 네가 하고 싶은 걸 다 하고, 나중에 한 번쯤 생각나면 들르라고 하셨다. 마지막으로 나에게 온 겨울이를 무릎 꿇고 안았다. 나는 네가 없었으면 지금의 내가 없었을 거라고, 늘 고맙다고 말했다. 눈물이 나려는 걸 억지로 참고 더 꽉 안았다. 겨울이는 그런 내 등을 토닥였다.

인사를 마치고 거대한 뱀 위에 올라탄 불의 신은 고개를 돌려 우리에게 경례했다. 우리도 그에 맞춰 경례했다. 뱀은 하늘을 날아 구름 너머로 사라졌다. 그렇게 겨울은 떠났다.

우리 셋은 함께 다른 지역으로 이사했다. 나는 학업을 이어갔고, 아저씨는 대형 화물차를 몰았다. 어머님은 책을 쓰셨다. 마음으로 묻은 아들의 이야기였다. 책은 꽤 잘 팔렸다. 기념으로 다 같이 술집에서 축하 파티를 했다. 화재로 가족을 잃은 세 사람은 서로 가족이 되었다.

마을 축제는 3년 동안 열리지 않았다. 예산 부족 때문이란 기사가 났지만, 아마 신에게 버림받았다는 생각에 그랬을 것이리라 짐작했다. 사람들은 뿔뿔이 흩어졌고, 3년째 되는 해에는 아무도 살지 않는 유령마을이 되었다. 그리고 얼마 안 가, 마을 전체가 불타 사라졌다는 뉴스가 나왔다. 처음부터 아무것도 없었던 것처럼, 재 한 움큼도 남기지 않았다.

정신없이 오랜 시간이 흘렀다. 난 대학을 졸업하고 바로 취업했고, 사랑하는 사람을 만나 결혼해 사랑스러운 딸아이를 얻었다. 이름은 가을이라 지었다. 아장아장 걷던 아이는 어느새 5살이 되어 유치원에 들어갔다. 그해 겨울의 어느 화창한 날, 아이를 데리고 놀이터에 갔다. 아이는 친구들과 눈을 뿌리며 놀았다. 나는 가까운 벤치에 앉아 그 모습을 바라보았다. 2월 초인데도 날씨는 여전히 쌀쌀했다. 양손을 주머니에 넣고 몸을 떨었다. 그때, 곁에서 따듯한 기운이 느껴졌다. 옆을 돌아보니, 가을이 또래로 보이는, 목에 작은 회색 뱀을 두른 아이가 앉아 있었다. 나는 웃었다. 겨울도 웃었다. 뱀은 불타는 혀를 날름거렸다.

오늘도 해가 비치며 눈이 내렸다. 길에 얕게 눈이 쌓였다. 골목길을 지나며 왁자지껄하게 웃고 떠드는 사람들 머리마다 소복이 눈이 쌓였다.

Our dream

이성준

이성준

책과 음악을 좋아하는 사람이다. 최근까지는 읽고 듣기만 했었는데 이제는 직접 써보려고 한다.

책과 음악을 통해 많은 위로를 받았다. 나의 글도 누군가에게 큰 위로가 되기를 바란다.

가장 좋아하는 책은 황보름 작가 님의 '어서 오세요, 휴남동 서점입니다.'이고, 가장 좋아하는 음악은 아이유 님의 '아이와 나의 바다' 이다.

blog: blog.naver.com/inside1216

그날도 평소처럼 원장님께 1대1 수업을 들은 뒤 기타를 매고 연습실로 가고 있었다. 학원 첫날 남들에게 나의 부족한 연주 소리가 들리는 게 부끄러워 맨 끝에 있는 연습실을 이용했다가 1년이 다 되어가는 지금도 버릇처럼 발을 옮기고 있다. 긴 복도를 걸어 연습실 앞에 발을 멈춘 뒤 문을 열려 하는데 연습실 안에서 흐느끼며 울고 있는 누군가가 있었다. 얼굴이 보이지 않았지만, 브라운색의 긴 생머리 때문에 누구인지 바로 알 수 있었다.

'이지안' 학원 원장님의 딸이자 같은 학교에 다니고 있고 청순이란 말의 의인화일 정도로 예쁜 외모를 가지고 있는 동갑내기 여자애다. 학교에서는 밝은 모습으로 지내지만, 학원에서는 아빠인 원장님이 있어서 그런지 사춘기 딸처럼 아무 말도 하지 않는다. 무슨 이유로 울고 있는지 모르지만, 친한 사이도 아닌 내가 신경 쓸 필요는 없다. 다른 연습실로 발걸음을 돌리려다 붉어진 그 애의 눈과 나의 눈이 마주쳤다. 당황한 나는 몰래 훔쳐보다 걸린 사람처럼 눈을 피하고 허겁지겁 비어 있는 연습실로 들어갔다.

최근에는 핑거스타일에 빠져 관련 곡들만 연습하고 있다. 그중 나의 최대 관심사는 기타에 입문하게 해준 'Twilight'(황혼)이다. 악보는 다 외웠지만 아직 제대로 성공한 적은 없었다. 뇌와 손을 연결해주는 블루투스가 중간중간 끊기는지 계속 실수를 하게 된다. 오늘은 반드시 성공하겠다며 다짐을 하고 케이스에서 기타를 꺼내었다. 나지도 않는 뼈 소리를 억지로 내며 손을 풀고는 실수가 많은 부분을 집중적으로 연습했다. 본격적으로 연주를 하기 전에 머릿속으로 시뮬레이션을 돌린 뒤 첫 음인 6번 줄을 튕기면서 시작했다. 초반 부분은 하도 연습을 많이 해서 그런지 손이 저절로 움직일 정도이고 1/3쯤 나오는 어려운 부분을 부드럽게 넘어가서 절반까지 실수 없이 올 수 있었다. 좋은 느낌이 든다. 이대로만 가면 성공할 수 있을 것 같다. '누군가 방해만 하지 않는다면'

그 생각이 끝나기도 무섭게 노크하는 소리가 들렸고, 내 손은 궤도에서 이탈하고 있었다.

'아… 망했다.' 그렇게 생각하며 옆을 보니 이지안이 서있었다.

"끝 방 비었으니까 들어가도 돼." 고개를 푹 숙인 채 말하고는 문을 닫아버렸다.

이지안은 끝 방만 이용하는 나를 위해 말해 주려 온 거였지만 나는 실망스러운 마음을 숨길 수 없었다. 그 뒤로 몇 번 시도해 봤지만 내 손은 배터리가 다 된 리모컨처럼 제대로 작동하지 않았다. 시계는 어느덧 9시를 가리키며 나에게 집에 갈 시간이 되었다며 알려주고 있었다. 아쉬운 마음을 기타와 함께 매고 방을 나와 원장님에게 인사를 드리러 갔다.

"쌤 저 가볼게요." 바빠 보이는 원장님에게 가볍게 인사를 하고 나가려는 데 원장님이 나를 불러 세우셨다.

"유현아 오늘 태워 줄게 잠시만 기다려 봐."

"정말요? 근데 뒤에 수업 없어요?"

"어 없어. 네가 마지막이야."

버스를 타고 집에 가야 하는 나를 위해 원장님은 수업이 일찍 끝나는 날에는 차로 데려다주신다.

노래를 들으며 기다리다 원장님의 차가 보여 끼고 있던 이어폰을 주머니에 넣고 조수석으로 탑승했다. 원장님과는 기타 얘기보다 야구 얘기를 더 많이 한다. 좋아하는 야구팀이 같아서 함께 야구를 보러 간 적도 있다. 오늘도 어김없이 야구 얘기를 조잘거리는데 원장님은 좀처럼 대답만 하고 먼저 말하지 않으셨다. 기운이 없어 보이는 것 같아 나도 더 이상 말을 하지 않고 핸드폰만 보고 있는데 원장님은 갑자기 이지안에 대해 말을 꺼내셨다.

"지안이가 아이돌이 되고 싶어 해"

아이돌을 꿈꾼다는 것을 학교에서 어렴풋이 들었던 기억이 있다. 노래 부른 걸 들어 본 적은 없지만 그 정도 외모면 충분하다고 생각해 잘 어울릴 것 같다고 말하였다. 원장님은 멋쩍은 미소를 지으시며 마음속 고민을 털어놓으셨다.

"너도 알다시피 내가 음악계에서 일을 했잖아. 그곳이 얼마나 힘들고 외로운지 아니까 응원해 줄 수 없더라고."

듣기로는 원장님도 옛날엔 가수를 꿈꾸었지만, 인기를 얻지 못해 무명 생활을 오래 하다 생계 때문에 꿈을 접고 학원을 운영한다고 했다.

“아까도 사실 그것 때문에 다퉜거든. 꼰대인 나하고는 말이 안 통하나 봐.” 이지안이 울고 있던 이유가 아마 이 일 때문인 것 같다.

“그래서 말인데 유현아, 네가 지안이랑 동갑이니까 얘기 좀 해볼 수 있을까?”

못하겠다는 말이 목구멍까지 올라왔지만, 원장님의 씁쓸한 표정을 보니 도저히 거부할 수 없었다.

“한 번 얘기해 볼게요.”

원장님에게는 당당하게 말했지만, 말처럼 쉽게 되지는 않았다. 매 쉬는 시간마다 반을 찾아갔지만, 주변에 사람이 많아 헛걸음만 하고 돌아왔다. 될 수 있으면 단둘이서 얘기를 하고 싶었다. 점심을 먹고 반으로 가고 있었는데 창문 너머로 혼자 있는 이지안의 모습이 보였다. 그냥 가기에는 뻘쭘해서 급하게 매점에서 바나나 우유를 2개 사고 갔다. 무언가를 유심히 보고 있어 내가 바로 앞에 와 있을 때도 이지안은 알아차리지 못했다.

“이거 먹을래?” 그렇게 말하며 손에 쥐고 있던 바나나 우유를 건네주었다.

“고마워… 근데 무슨 일이야?” 이지안은 당황한 듯 나를 쳐다보며 말하였다.

"음… 그냥 내일이 졸업식이기도 하고 같은 학원인데 말 한 번 제대로 한 적이 없는 것 같아서. 근데 나 누구인지 알지?"

"당연히 알지! 아빠한테 너 얘기를 몇 번을 들었는데."

나는 대화를 이어나가기 위해 별의별 질문들을 했다. 기타는 언제부터 쳤는지, 학교생활은 재밌었는지, 졸업식 날 누구 오는지 등의 시답잖은 얘기들만 늘어놓았다. 그렇게 대화를 이어나가다 고등학교 얘기가 나왔는데 나와 1지망으로 지원한 고등학교가 같은 걸 알게 되었다.

"근데 너 예고 가는 거 아니었어? 왜 인문계 고등학교 지원했어?"

"집에서 꽤 멀기도 하고 아빠가 반대했거든."

원장님은 지안이도 다른 아이들처럼 평범한 학창 시절을 보내길 바라서 인문계 진학을 원했다고 하고 이에 대해 이지안도 큰 불만은 없는 것 같았다. 이지안은 잘 지내보자면서 내게 손바닥을 내밀었고 나도 손바닥을 내밀어 응해줬다.

"아까부터 궁금했는데 그거 오마이걸 앨범이야?" 나는 고개로 책상 위에 있는 앨범을 가리키면서 물어봤다.

"어떻게 알았어? 남자애들은 잘 모르던데."

"노래가 좋아서 많이 들어 봤거든."

"너 뭘 좀 아는구나!"

이지안은 신이 났는지 의지를 내 옆으로 가지고 와 앨범을 보여주며 하나하나 설명해 주었다. 그렇게 한참을 오마이걸 얘기만 듣다 점심시간은 끝이 났다. 원장님에게는 미안하지만 꿈에 대한 얘기는 전혀 하지 못하였다.

주위를 보면 꽃을 들고 있는 부모님들이 많지만, 저 속에서 우리 부모님은 찾을 수 없었다. 아빠는 출장을 가셨고 오늘 오기로 한 엄마는 일이 바쁘다며 못 간다는 메시지를 보내었다. 혼자인 게 익숙한 나에게도 이런 날은 가족과 시간을 보내고 싶지만 나를 위해 바쁘게 일하는 부모님께 투정을 부릴 수는 없었다.

졸업식은 예정된 순서대로 진행되었고 주변에서는 3년 동안의 추억을 회상하면서 눈물 흘리는 친구들도 있었다. 나에게도 슬픈 감정은 있었지만, 눈물을 흘릴 정도는 아니었다. 일명 졸업식 국룰인 '이젠 안녕'을 마지막으로 졸업식은 끝이 났고 포토 타임을 가졌다. 친구들과 사진 몇 장을 찍은 뒤 많은 인파를 뚫고 강당을 나가려 하는 데 익숙한 목소리가 나를 불러 세웠다. 고개를 돌려 보니 저 멀리 손을 들고 있는 원장님과 지안이가 서 있었다. 아는 사람이 있어 좋았던 것일까 해맑은 미소를 띄며 그들에게 다가갔다.

"유현아 졸업 축하한다." 원장님은 손에 있던 꽃다발을 건네었다.

"감사해요 쌤. 역시 쌤 밖에 없어요."

"사진 찍어줄게. 지안아, 옆에 같이 서 봐."

지안이와 내가 어정쩡하게 서 있는 모습을 보더니 원장님은 "좀 붙어 봐"라며 뭐라 하시고는 몇 가지 포즈를 정해 주셨다. 원장님은 결과물을 보며 만족스러운 듯 웃음을 지으시곤 나에게 카톡으로 보내줄 테니 애늙은이 같은 배경 화면을 바꾸라고 하셨다.

"유현아 근데 부모님은 어디 가시고 너 혼자 있어?"

"두분 다 바빠서 못 왔어요."

원장님은 혼자 있을 내가 안쓰러웠는지 같이 밥을 먹으러 가자고 하셨다. 같이 가고 싶었지만, 가족만의 시간을 방해하는 것 같아 괜찮다고 말하려 하는데 지안이가 내 옆으로 와 작은 목소리로 말하였다.

"나 아빠랑 단둘이 밥 먹기 어색하단 말이야. 같이 가자."

진짜일 수도 있고 나를 위해 배려 차원에서 한 말일 수도 있지만 그건 딱히 중요하지 않았다. 오늘 같은 날 혼자가 아니라 누군가와 함께 보낼 수 있다는 것만으로도 충분했다. 나는 능청스럽게 뭐 먹으러 가는지 물어보았다. 원장님은 예약한 곳이 있다면서 차를 가져올 테니 정문에서 기다리라고 하셨다. 강당을 나서 정문으로 걸어가고 있는데 지안이는 줄 게 있다면서 가방에서 무언가를 꺼내 내게 주었다. 어제 책상에 있던 거랑 같은 앨범이었다.

"관심 있어 보이길래…"

"이거 나 줘도 돼?"

지안이는 팬 사인회 가려고 몇 장 샀다가 남은 거여서 괜찮다고 말하였다.

"고마워 꼭 들어볼게."

지안이는 뿌듯했는지 옅은 미소를 띠고 있었다.

차를 타고 가는 동안에는 졸업앨범을 같이 보면서 3년동안 있었던 일들을 차례대로 회상하며 얘기했다. 원장님은 그러한 우리를 백미러로 힐끔힐끔 보며 아빠 미소를 짓고 있으셨다. 그렇게 도착한 곳은 백화점 내부에 있는 유명 레스토랑 집이었다. 내가 비싸지 않냐고 물으니, 원장님은 이 정도는 사줄 수 있다면서 빨리 들어가라고 했다. 원장님은 능숙하게 메뉴판에서 몇 개를 고른 뒤 음료는 뭐 마실 거냐고 물어봐 주었다. 눈대중으로만 봐도 내 한 달 용돈으로는 턱없이 부족한 가격이었다.

“쌤 제가 나중에 돈 벌면 맛있는 거 사드릴게요.”

“말이라도 고맙다.” 원장님은 그렇게 말하곤 웃으면서 머리를 쓰다듬어 주셨다.

음식은 식전 빵과 수프부터 파스타, 피자, 스테이크 순으로 차례대로 나왔다. 가격이 비싼 만큼 양도 많았고 근래 먹은 음식 중 가장 맛있었다. 원장님은 많이 먹으라며 부족하면 더 시켜준다고 했지만, 부족하긴커녕 셋 다 입이 짧은 편이어서 다 먹지도 못하였다. 원장님은 계산한 뒤 학원에 급한 일이 생겼다며 먼저 가봐야 할 것 같다고 하시고는 우리에게 놀다 가라며 카드를 건네주셨다.

무엇을 할지 고민하다가 지안이가 보고 싶다는 영화가 있다 해서 근처에 있는 영화관에 가기로 했다. 핸드폰으로 예매하니 영화 상영까지 30분 정도의 시간이 생겼다. 지안이는 마침 살 게 있다면서 나를 끌고 화장품가게로 갔다. 틴트를 하나 둘 씩 손등에 바르면서 나에게 어떤 색이 예쁜지 물어봤지만, 중학생 남자애가 보기에는 다 똑같은 빨간색처럼 보였다. 지안이는 괜히 물어봤다면서 직원들에게 몸을 돌리고 이것저것 추천을 받았다. 홀로 남겨진 나는 가만히 있기에 뻘쭘해서 이것저것 구경하다 세일하고 있는 핸드크림을 하나 사고 나왔다.

어느덧 상영 시간이 되어 매점에서 음료 2개를 사고 영화관으로 들어갔다. 영화 시청 전 마블을 처음 보는 나를 위해 지안이는 요약해서 마블 세계관을 알려주었다. 그게 도움이 됐는지, 막힘없이 이해할 수 있었다. 지안이는 보고 싶었던 영화인 만큼 스크린을 뚫을 기세로 보고 있었다. 영화는 의문만을 남긴 채로 끝이 났고 지안이는 건물 밖으로 나올 때까지 다음 스토리를 추리하고 있었다.

건물을 나오니 밖은 어두워졌고 길가에 사람들이 많이 늘어났다. 길을 걷다 노래 부르는 소리가 들려 그쪽으로 가기로 했다. 가까이 가서 보니 버스킹이 아니라 길거리 노래방을 하고 있었다. 우리는 앞쪽으로 비집고 들어가서 자리에 앉았다. 노래를 들으며 나는 지안이에게 왜 아이돌이 되고 싶은지 물어봤다. 지금 물어보는 게 적기라고 생각해서 물어봤지만 지안이는 아무 말도 하지 않았다. 앞사람의 노래가 끝이 나고 다음 참가자를 고르고 있었다.

"너 내가 노래 부르는 거 본 적 없지?" 지안이는 그렇게 말하고는 손을 높이 들었다.

진행자는 우리 쪽을 보며 나오라 손짓했고 지안이는 짐을 나에게 맡기고는 무대로 나가버렸다. 지안이는 나를 보며 입 모양으로 "잘 봐" 라고 말하는 것 같았다. 노래가 시작되자 지안이가 왜 그렇게 말했는지 알 것 같았다. 노래 부르는 지안이의 모습을 보니 행복해 보였다. 사람들은 지안이의 목소리에 빠져들었고 지안이도 무대를 즐기고 있었다. 무언가에 깊이 빠져있다는 게 이렇게 아름다운 건지 몰랐었다. 무대를 보며 지안이가 얼마나 진심으로 꿈을 꾸고 있는지 알 수 있었다. 노래는 어느새 끝이 났고 사람들은 하나 같이 박수갈채를 보내었다. 지안이는 밝은 미소와 함께 감사 인사를 하고 자리로 돌아왔다. 지안이는 기대에 찬 눈빛으로 나의 감상평을 기다리고 있었다.

"최고였어!" 나는 엄지를 치켜세우며 말하였다.

지안이는 나의 대답에 만족한 듯 미소를 지었다.

노래 몇 곡을 더 듣고 난 뒤 우리는 늦기 전에 자리에서 일어났다. 집 가는 방향이 달라 지하철역까지 지안이를 데려다준 다음 버스를 타러 갔다. 버스 시간을 확인하려고 핸드폰을 받는데 지안이에게 메시지가 와 있었다.

"오늘 덕분에 진짜 재밌었어."

"나도 재밌었어."

방학 기간에도 학원은 꾸준히 갔었다. 부모님은 학원을 그만두고 공부에 몰두하기를 바랐지만, 내가 억지로 우긴 탓에 1년만 더 다니기로 했다. 그날 이후 지안이와의 관계는 매우 가까워졌다. 학원에서 남는 시간은 같이 있었고 만나지 못하는 날에는 연락을 주고받았다. 원장님은 내가 해준 얘기를 듣고는 지안이를 믿어 보기로 한 것 같았다. 지안이는 믿음에 보답하기 위해 열심히 노력했다. 보컬 학원에 다니면서 노래 실력을 점차 늘렸고 영상들을 찾아보면서 안무를 직접 따며 연습했다. 그런 지안이의 모습을 보니 내심 부러웠다. 하고 싶은 일이 있고 또 그 일에 최선을 다했다. 그에 비해 나는 꿈으로부터 도망치고 있었다. 하고 싶은 일을 찾기보다는 공부에만 집중했다. 무엇이 되고 싫어서가 아닌 그저 뭐라도 되겠지 였다. 공부는 꿈이 없는 나의 피난처였다.

입학식날 학교에 가니 지안이는 인기스타가 되어 있었다. 그날 불렀던 노래가 영상화되어 SNS로 퍼져 많은 관심을 가진 것 같다. 좋은 일이라 생각했지만, 꼭 그렇지만은 아니라 했다. 틈만 나면 노래를 시켰고 노래를 알려 달라고 하거나 같이 노래방을 가자고 하는 얘들이 많아 힘들다고 했다. 지안이와는 학교에서 볼 시간이 거의 없었다. 남녀 분반이기도 하고 학기 초반이어서 적응하는 데 많은 시간을 보냈다. 그래도 저녁 시간에는 같이 밥을 먹을 수 있었다. 학교에서 석식이 제공되지 않아 학교 인근에서 밥을 사 먹었다. 밥을 먹은 후 지안이는 학원으로 갔고 나는 야자를 하러 갔다. 그렇게 우리는 하루하루 반복되는 일상을 보내었다.

지안이는 연습이 어느 정도 된 다음 오디션을 보러 서울을 왔다 갔다 했다. 좋은 결과가 있길 바랐지만, 돌아오는 건 예쁘게 포장된 탈락 문자들이었다. 지안이에게 들어보니 오디션은 대한민국에서 예쁘고 노래 잘하는 얘들이 전부 모이는 곳이라며 거기서 자기가 내세울 수 있는 건 아무것도 없다고 했다. 지안이는 다른 얘들은 이미 연습생을 하고 있을 나이에 자기는 오디션을 보고 있다며 초조해하고 있었다.

그때부터 지안이는 더욱더 노력했다. 선생님께 부탁하여 8교시인 방과 후 수업을 하지 않고 바로 연습을 하러 갔다. 지안이는 나에게 같이 저녁을 같이 먹지 못해 미안하다 했지만, 나는 괜찮다고 열심히 하라고 말해 주었다. 주말에 힘들어하는 지안이를 응원하러 연습하는 곳을 찾아갔다. 지안이가 열심히 하고 있다고 생각했지만, 아니었다. 자기 자신을 혹사하고 있는 것이었다. 밥도 먹지 않고 잠도 줄이면서 하고 있으니, 컨디션은 당연히 바닥이었고, 그 모습이 연습하고 있는 지안이의 얼굴에 드러났다. 내가 그날 봤던 표정은 어디에도 찾을 수 없었다.

"야 너 괜찮아?"

지안이는 멀쩡하다면서 계속 연습에만 몰두했다. 아마 다음 주 오디션 때문에 더욱 무리를 하는 것 같았다. 쉬면서 하라고 말했지만, 지안이는 그럴 시간 없다며 무리한 연습을 강행했다.

결과는 이번에도 탈락이었다. 어찌 보면 당연한 결과일 수도 있다. 어느 기획사도 지쳐서 힘이 없는 참가자는 뽑지 않을 것이다. 계속되는 탈락 속에 지안이는 심리적으로 많이 힘들어했다.

"유현아 나 지금이라도 그만해야 할까?" 전화기 너머로 들리는 지안이의 목소리는 떨고 있었다.

"넌 어떻게 하고 싶어?"

"모르겠어. 계속하기에는 너무 힘들고 그만하기에는 너무 멀리 온 것 같아."

"지안아, 나는 네가 어떤 결정을 하든 너를 응원할 거야. 그러니까 정말로 네가 어떻게 하고 싶은 지 한 번 생각해 봐."

좋게 말해 줄 수 있었지만, 지안이를 믿기 때문에 강하게 말하였다. 그래도 지안이에게 도움이 되어 주고 싶었다. 몇 주전 지안이와 오마이걸 콘서트 얘기를 한 적이 있었다. 계절마다 하는 콘서트로 올해는 여름에 진행되는데 마침 방학 기간 이어서 나에게 같이 가자고 했었다. 지안이는 아마 연습한다고 콘서트 예매 기간을 잊고 있는 것 같았다. 나는 최대한 친구들을 동원해 티켓팅을 도와달라고 부탁했다.

티켓팅 당일 날 우리는 성능이 좋기로 소문 난 피시방에서 모였다. 친구들은 내가 알려준 사이트와 네이비즘 시계를 띄어 놓고 6시가 되기를 기다리고 있었다. 1분 남았을 무렵 우리는 숨을 죽이며 시계를 보고 있었다. 갑자기 줄어든 소리에 전에는 들리지 않던 시계 소리가 들리기 시작했다. 10초부터는 마음속으로 카운트 다운을 하며 59초와 00초 사이의 시간을 우리는 나노 단위로 쪼개어 클릭했다. 그렇게 들어간 창에는 몇천 명의 사람들이 내 앞에 줄을 서고 있었다. 분명 친구들에게 대기인원이 많아도 새로 고침은 하지 말라 했지만, 몇몇 애들은 참지 못하고 결국 F5의 늪에 빠져버렸다. 점차 사람들이 줄어들더니 1분 정도 지났을 때 사이트에 진입할 수 있었다. 포도알은 순식간에 사라져 있었고, 몇 자리밖에 남아있지 않았다. 1인 2매가 가능해 기대했지만, 그저 헛된 망상일 뿐이었다. 한 자리라도 구하기 위해 선택을 하고 결제를 했는데 잔액 부족으로 결제가 취소되었다. 돈을 결제 카드로 옮긴다는 것을 잊어버렸고 다시 돌아간 창에는 포도알은 존재하지 않았다. 바보 같은 나 자신에게 욕을 하고 싶었다. 아쉬운 마음을 뒤로한 채 친구들에게는 도와줘서 고맙다고 말해주러 가려는 데 건너편 좌석에서 성공했다는 소리가 들렸다. 난 황급히 달려가 화면을 들여다보았는데 "예매 완료"라는 표시가 떠 있었다. 심지어 2매에다 바로 옆 좌석이었다. 나는 예매한 친구를 끌어안으면서 기뻐했다.

피시방을 나온 뒤 나는 바로 지안이에게 전화를 걸었다. 기나긴 연결음 끝에 지안이는 전화를 받았다. 지안이의 목소리에서 힘이 없는 게 느껴졌다. 나는 표를 구했다고 같이 보러 가자고 얘기했는데 지안이는 예상대로 잊고 있었다.

“오늘이었구나…” 지안이는 그렇게 말하며 대답을 망설이는 듯했다.

“지안아, 보고 결정하자. 계속하고 싶은지, 그만하고 싶은지.”

기나긴 설득 끝에 우리는 같이 콘서트를 보러 가기로 했다.

콘서트 당일 날 우리는 역에서 만나기로 했다. 지안이도 처음 가보는 콘서트여서 그런지 기대가 되는 것 같았다. 우리는 1시간 정도 열차를 타고 서울에 도착하였다. 나는 처음 서울을 가보는 거 여서 지안이의 뒤만 졸졸 따라다녔다. 지안이는 오디션 때문에 서울을 왔다 갔다 해서 지하철을 잘 알고 있었다. 지하철에 내려 지도 앱이 가리키는 방향으로 가니 콘서트장에 도착할 수 있었다. 우리는 좌석을 찾고 바로 착석했는데 생각보다 무대가 잘 보이는 위치여서 맘에 들었다. 옆을 둘러보니 얼굴만 한 카메라를 들고 온 사람도 있었고 전문가처럼 망원경 초점을 맞추는 사람들도 있었다. 그에 비해 우리는 지안이가 가지고 온 응원봉을 하나씩 들고서 기다리고 있었다. 5시 정각에 멤버분들은 차례대로 나와 인사를 하며 콘서트에 시작을 알렸다. 타이틀곡, 수록곡, 이벤트 곡 등 여러가지 무대를 준비했다. 지안이는 감격스러운 눈빛으로 무대를 보고 있다가 갑작스럽게 말을 꺼내었다.

"꿈을 포기하기엔 내 꿈이 너무 큰가 봐."

"너무 힘들어서 포기하고 싶었는데 오늘 실제로 무대를 보니 포기 못할 것 같아. 나도 나를 응원해 주는 많은 사람들 앞에서 무대를 하고 싶어."

지안이의 눈에서는 그동안의 감정들이 뚝뚝 떨어지고 있었다.

"나에게 같이 가자고 말해 줘서 고마워."

나는 아무 말 없이 울고 있는 지안이를 안아주었다. 힘들었을 지안이에게 도움이 되어주지 못해 미안했다.

지안이는 겨우 감정을 추스르고는 남아 있는 무대를 즐겼다. 그렇게 콘서트는 성황리에 종료되었고 우리는 마지막까지 자리를 지킨 뒤 밖으로 나왔다. 둘 다 배가 고파 간단하게 밥을 먹고 역으로 향했다. 생각보다 일찍 도착해 우리는 역 주위를 걸으면서 얘기를 나눴다.

"유현아, 넌 꿈이 뭐길래 공부를 그렇게 열심히 하는 거야?"

"꿈이 없어서 열심히 하는 거야. 뭐라도 해야 할 것 같거든."

지안이는 내 대답에 당황한 듯했다.

"하고 싶은 건 없어?"

"하고 싶은 거야 있지. 근데 그게 꿈이 될 순 없으니까."

지안이는 이해하지 못하는 것 같았다. 지안이는 하고 싶은 것에 재능도 있고 열정도 있으며, 무엇보다 그 길을 헤쳐 나갈 수 있는 용기를 가지고 있다. 반면에 나는 두려워서 여러 핑계들을 대며, 도전조차 하지 않는다. 이것이 좁혀질 수 없는 우리의 차이였다. 나는 지안이에게 암울한 나의 상황을 보여주고 싶지 않아 최대한 담담하게 아무렇지 않다는 듯이 말하였다. 지안이도 나의 심정을 알아챘는지 더는 묻지 않았다. 기차가 들어오는 소리 덕분에 우리는 애써 말할 필요가 없었고 침묵의 시간을 유지한 채 우리는 기차를 타러 갔다.

피로가 몰려왔는지 지안이는 어느새 잠들어 있었다. 나는 귀에 이어폰을 꽂고 콘서트에서 들었던 노래들을 다시 들었다. 가사를 집중하며 듣고 있으니, 눈앞에 그림이 그려지는 것 같았다. 맑은 날씨, 푸르른 언덕, 너라는 바람에 흔들리는 나의 바람개비. 그러한 것들을 떠올리며 상상인지, 꿈인지 모르는 곳으로 빠져들고 있었다.

2학기가 시작되고 우리가 만날 수 있는 시간은 점점 줄어들었다. 나는 학업에 열중하기 위해 주말에 학원을 다녔고, 지안이도 다시금 마음을 잡고 연습에 열중했다. 다행히도 저번처럼 자신을 혹사하면서 과도하게 연습하지는 않았다. 본인의 강점을 살리기 위해 노력했고 표정, 몸짓 같은 사소한 부분에 더욱 신경 썼다. 원장님도 가수 시절 만들었던 인연을 통해 지안이의 꿈에 힘을 실어줬다. 모두 각자의 자리에서 자기만의 방식으로 치열하게 살고 있었다.

기말고사도 끝이 났다. 열심히 달려왔던 덕인지 좋은 성적을 받을 수 있었다. 지안이는 콘서트 이후로 아직까지 오디션을 보지 않았다. 실패의 두려움이 없는 건 아니었지만, 본인이 가고 싶은 소속사에 더욱 초점을 맞추어 연습했다. 초조했던 마음을 뒤로하고 자기 자신을 좀 더 믿어 보기로 한 것 같았다.

오디션 당일 날 원장님의 차를 타고 이동했다. 지안이는 이동하는 내내 안무와 가사를 떠올리며 눈을 감고 아무 말도 하지 않았다. 원장님과 나도 방해가 되지 않게 되도록 말을 하지 않았다. 오디션장에 도착해서 현장 접수를 하니 지안이 앞에 수백 명 정도의 지원자들이 있었다. 대기 시간이 2시간가량 걸리는 다는 말을 들었을 때 나는 놀랐지만, 지안이는 익숙하다는 듯이 자리로 돌아갔다. 주위를 둘러보니 초등학생 고학년부터 많게는 대학생까지 볼 수 있었다. 각기 다른 사람들이 하나의 꿈을 바라보며 이곳에 모여 있었다. 이렇게 많은 사람 중에서 일부만이 연습생이 될 수 있고 그중에서 극소수만이 데뷔할 수 있다. 현장에서 직접 보니 지안이가 얼마나 힘든 길을 걷고 있는지 알 수 있었다. 지안이는 차례가 다가올수록 긴장이 되는지 떨고 있었다. 지안이는 이 오디션을 위해 6개월가량의 시간을 쏟아부었다. 다른 오디션도 있었지만, 이곳만을 바라보며 달려왔기에 당연히 긴장될 수밖에 없었다. 나는 지안이에게 다가가 떨고 있는 지안이의 손을 잡아 주었다.

"걱정하지 마, 잘 될 거야."

지안이는 말없이 고개만을 끄덕이며 내 손을 꽉 잡았다.

어느덧 지안이가 속해 있는 조의 차례가 되었다. 원장님과 나의 응원을 받으며 지안이는 심사를 받으러 들어갔다. 지안이에게 주어진 시간은 아마 1분 내외일 것이다. 그 짧은 시간 동안 모든 것을 보여주어야 한다. 그 1분이 지안이에게 후회 없는 1분이 되기를 바라며 손을 모아 기도했다. 원장님도 걱정이 되시는지 다리를 떠시면서 계속 시계를 확인하셨다.

10분 정도 지났을 때 지안이의 조는 끝이 났다. 나는 바로 지안이에게 달려가 안아주었다.

"고생했어." 그 어떤 말보다 지안이에게 가장 먼저 해주고 싶었던 말이었다.

지안이는 후련하다는 듯이 미소를 짓고 있었다.

2주 정도 지났을 때 지안이에게 오디션에 합격했다는 연락이 왔다. 나는 진심으로 축하해 주었다. 지안이는 원하던 기획사에 들어가서 좋으면서도 한편으로는 정들었던 고향을 떠나 타지에서 생활해야 하는 것에 대한 씁쓸함도 있었다. 연습생 생활을 하면 몇 년간은 지안이를 볼 수 있는 날이 없을지도 모른다. 핸드폰도 사용하지 못해 연락도 하기 힘들 것이다. 멀어져야 한다는 걸 알고 있었지만, 현실로 다가오니 받아들이기가 쉽지 않았다.

우리는 남은 시간 동안 추억을 만들어갔다. 하루는 마블 영화를 정주행했고, 하루는 맛집을 찾아 돌아다녔고, 다른 날들도 하고 싶었던 것들을 함께하며 시간을 보냈다. 그렇게 함께 보낼 수 있는 마지막 날이 찾아왔다. 우리는 원장님께 양해를 구하고 학원에서 만나기로 했다. 지안이와 나를 연결해 준 의미 있는 공간이어서 마지막 날은 학원에서 보내기로 했다. 각자 먹고 싶은 음식을 사 와서 자그마한 파티를 열었고 우리는 지난 1년을 회상하며 웃고 떠들었다.

다시는 오지 않을 이날을 기억하며 우리의 마지막 밤은 그렇게 끝이 났다.

다음날 지안이는 떠나기 전 나에게 편지 한 통을 남기고 갔다.

To 유현이에게.

안녕 유현아, 네가 이 편지를 읽고 있을 때면 나는 이미 떠난 상태일 거야. 합격 문자를 받고 너에게 해주고 싶었던 말이 많았는데 마주 보고 얘기하면 눈물이 날 것 같아 편지로 글을 남겨.

1년이란 시간이 참 빠르게 흘러간 것 같아. 네가 나에게 말을 걸었던 게 엊그제 같은데 그게 벌써 1년 전 일이 되었어. 그 날의 인연이 지금의 우리를 만들어 줬다고 생각해. 네가 없었다면 나는 이 길을 포기했을지도 몰라. 내가 힘들 때 항상 너는 내 곁에 있어 줘어. 오디션 날 네가 떨고 있는 내 손을 잡아줬을 때 정말 힘이 됐어. 고맙다는 말로는 항상 부족한 게 너라는 존재였어. 잠시 떨어져 있더라도 나는 항상 너를 기억하며 앞으로 나아갈 거야. 우리가 함께했던 1년이 너에게도 큰 의미가 되었 길 바래.

그리고 유현아, 나는 네가 하고 싶은 일을 한 번 해보았으면 좋겠어. 시도는 해봐야 알 수 있지 않을까? 너는 네가 생각하는 것보다 훨씬 대단한 사람이야. 그러니깐 너를 믿고 네가 가고 싶은 길을 걸었으면 좋겠어. 우리가 지금은 잠시 떨어져 있더라도 언젠가 다시 만나는 날을 기원하며 너의 앞날을 응원할게.

From 지안이가

편지를 읽으면서 그동안 참아왔던 눈물이 뚝뚝 떨어지고 있었다.

2학년부터는 지안이의 말 대로 하고 싶은 일을 해보기로 다짐했다. 콘서트 날 이후 작사에 계속 관심이 갔었다. 물론 내가 할 수 있는 일이 아니라 생각해 무시하며 지냈었다. 하지만 머릿속에서 잊히지가 않아 한 번 시작해 보기로 했다. 작사 관련 서적을 사서 읽어 보기도 했고 유명 작사가들에 가이드 영상들도 많이 찾아봤다. 그 뒤로는 닥치는 대로 노래를 계속 들었고 그것을 받아썼다. 계속하다 보니 노래의 전체적인 구조를 알 수 있었다. 그러다가 작사 공모전이란 것을 알게 되었고 그것을 목표로 작사를 하였다. 학업에 열중하면서도 시간이 남을 때마다 가사를 써 나갔다. 처음 해보는 것이기 때문에 많은 시행착오를 겪었지만, 그 과정 속에서 많이 듣고 많이 쓰다 보니 내가 무엇을 보여주고 싶은지 알 수 있었다.

3학년 때는 길고 길었던 입시 끝에 나는 원했던 대학에 합격할 수 있었고 목표로 두었던 공모전에서 입상이라는 쾌거를 이룰 수 있었다. 그리고 지안이는 이듬해 봄 2년간의 연습생 생활을 끝으로 그토록 꿈꿔왔던 데뷔를 할 예정이다.

새로운 내일을 시작하는 우리에게 따뜻한 바람이 불어오기를 기원한다.

시련을 넘어

세보

세보

1999년 서울에서 태어났고 평범한 대학생이다.

군대 전역 후, 인생이 완전히 달라졌다.

시련을 극복하는 것이 취미가 되어버렸다.

1주차
〈군입대, 새로운 두려움이 시작되다〉

나는 성공하고 싶은 사람이다. 누구보다 명예욕이 강하고 돈도 많이 벌고 싶고 이루고 싶은 것이 많다. 하지만 내 기준에서 매번 인생의 쓴 맛을 느꼈었다. 두 번의 대학 입시 실패와 부모님의 기대를 저버린 것, 게임에 중독되어 시간과 돈을 낭비하는 등의 실패를 겪었다. 그렇게 허송세월을 보내며 방구석에만 틀어박혀 있었다.

그러던 어느 날, 국가의 부름을 받고 군대 훈련소에 입대하게 되었다. 코로나로 인해 군부대에서 좀 멀리 떨어진 곳에 차를 대고 아버지와 식사를 같이했다. 진지한 대화를 하고 함께 찍은 사진 속, 머리를 민 내 모습은 군대에 온 것이 현실임을 실감케 했다. 불안하고 두려운 마음을 가진 채로 아버지와 작별 인사를 했다.

군대 내부는 코로나19에 대한 민감한 반응으로 긴장이 감돌았다. 국방색 마스크를 쓰고 목소리가 무서운 조교의 지시에 따라 행동했다.

그 무서움과 분위기는 내 몸을 저절로 움직이게 만들었다. “사회에 있을 때 좀 더 열심히 즐겼더라면…” 하는 후회를 했다. 모든 것이 흑백으로 보인다. 이러한 후회 속에서도 필수적인 신체검사와 절차들은 빠르게 진행되었다. 오늘 하루, 아무도 나를 건들지 않았지만, 정신적으로는 매우 힘든 하루였다.

벌써 입대한 지 하루가 지났다. 6시 반 기상은 사회에서 술로 하루를 지새우다 밤낮이 바뀐 나에겐 큰 암석이 나를 짓누르고 있는 것 같았다. 밥을 먹으러 가는데도 서로 발 맞춰서 걸어야 하고 떠들어도 꾸중을 듣는다. 내 마음속은 더욱 심해로 가라앉았다. 집에 가고 싶다. 몇 시간이 지난 뒤 생활관 위치가 배정되었다. 4소대 2 생활관이었다. 그리고 293번의 맨 마지막 번호를 부여받았다. 뒤에서 마지막 번호라는 것에 괜히 느낌이 꺼림직했다.

6시 반 기상은 나의 몸에 추를 단 것 같이 일어나기 너무나도 힘들었다. 그 상태로 아침 점호를 하러 간다. 3열로 서서 연병장에 도착했다. 그 후 도수체조와 복무 신조를 했다. “부정적인 생각을 하고 있는데 복무 신조가 외워질까?” 대충 립싱크를 했다. 현실이 너무 고달프다. 분명 사람마다 느끼는 감정이 다르겠지만 나와 같은 생각을 하는 사람들도 분명히 있을 것이다.

1주 차 군대 훈련소는 대부분의 시간동안 정신전력 교육을 시킨다. 그리고 계속 귀가할 사람은 귀가하라고 압박 아닌 압박을 한다. 그렇게 떠나가는 몇몇 사람들을 보니 지옥의 문에서 해방되는 듯 보였지만 실상은 현실도피를 하는 셈이었다. “어차피 다시 와야 하거든.” 저들의 마음이 이해되었지만 나는 그럴 수 없었다. 그럴 용기조차 없는 나 자신이 싫다. 현실도피 할 수 있는 작은 구멍조차 보이지 않았다.

시간이 얼마나 흘렀을까. 벌써 밥 시간이 되었다. 밥을 먹으러 가는 것도 쉽지 않다. 걸어가는 길에 왼발! 왼발! 오른발! 오른발! 하.... 어떤 일도 쉬운 것이 없다. 메뉴는 미역국, 감자, 김치, 오뎅이었다. 평범하지만 배고픈 상태로 먹어서 생각보다 맛이 괜찮았다. 식사를 마친 후, 식당 앞에서 대기했다. 줄을 서면서 슬쩍 옆 동기한테 용기를 내어 말도 걸어보았다. 생각보다 동기는 호의적이었고 말도 잘 통했다. 이름은 곧 물어볼 예정이다. 그 후 '뒤로 번호'라는 걸 하는데 차렷, 열중 쉬어, 쉬어, 동작 그만 등의 여러 구호가 있었다. 굉장히 헷갈리고 다음 스케줄인 도수체조의 난이도도 만만치 않았다. 도수체조는 나에게 첫 번째 시련이었다. 순서가 외워지지 않는다. 벌써 또 걱정된다. "이 역경을 잘 헤쳐 나갈 수 있을까?"

오늘은 전날보다 잠을 잘 잤다. 코고는 소리, 찬란한 빛이 나의 수면을 방해했지만, 나의 피곤함이 방해 요소로부터 벗어났다. 아침 점호 시간에 맞춰 3열로 모여 운동장에 갔다. '하나, 둘, 야!'라는 구령을 외치는데 왜 하는지 이해가 안 된다. 줄 간격을 맞추고 애국가를 부른다. 그 후 육군 복무 신조를 하면서 팔을 들고 여러 가지 행동을 한다. 아직 나는 이걸 왜 하는지 이해가 안 된다. 초등학생 시절 밀린 방학 일기를 쓰는 것 같았다. 시간이 순식간에 지나가고 또 밥을 먹으러 간다. 빠른 걸음으로 오와 열을 맞춰 식당으로 갔다. 밥도 어떻게든 입에다가 집어넣었다. "나도 살아야 하긴 하니까." 밥을 다 먹은 뒤 다시 연병장에 모였다. 그 후 연병장에서 조교의 지시에 따라 제식 연습이라는 것을 했다. 제식은 생각보다 쉽고 재밌었다. 좌향좌, 우향우, 뒤로 돌아 등이 있었는데 이것도 분명 헷갈리는 건데 금방 잘 따라 할 수 있었다. 사람마다 잘하는 분야가 있듯 나도 제식에 좀 더 일가견이 있던 것 같다. "제식보다 쉬운 건 못하던데…."

입대한지 시간이 꽤 지났다. 체감상 3주 이상 있었던 것 같다. 하지만 5일밖에 지나지 않았다. "오늘은 무슨 일과가 나를 기다리고 있을까?" 평소와 같이 아침 점호를 비몽사몽한 상태에서 하루를 시작했다. 모두가 집합하여 개인 총을 수여받으러 총기보관함으로 갔다. 'K-2'라는 소총 번호를 부여받았다. 나중에 총을 수여받을 때 이 번호를 기억해서 받아야 한다. 이 총을 쏘는 과정과 쏜 후의 과정을 배웠다. 조정 간 안전, 탄알집 제거, 노리쇠 후퇴 고정, 약실 검사, 장전 손잡이도 2~3회 당겼다 놓아야 한다. '크리커'의 개념을 배우고 자세도 배웠다. 정조준을 하기 위한 방법, 가늠쇠 등 너무나도 많은 정보가 쏟아져 나왔다. 정보량이 많아 뇌에 저장하는 데 긴 시간이 걸렸다. 남보다 외우는 시간이 느리기 때문에 2~3배 시간을 써야 한다. 이러한 과정들을 배우다 보니 벌써 일과시간이 마무리되었다. 조교가 군대 예절, 복장 및 용모, 악수 시 행동 요령, 집합 대기간 행동 요령, 관등성명, 복명복창, 악수 예절, 군대 내의 기본상식 등을 교육했다. 고등학교에 다시 온 기분이었다. 오늘 배웠던 걸 까먹지 않기 위해 되새기며 잤다. 짜증은 나지만 서서히 이 공간에 적응해 가는 것 같았다. "내일은 무슨 일을 할까?" 내심 기대가 된다.

주말이다. 처음으로 오전 7시 기상을 해본다. 몸이 개운했고 피곤함이 없었다. 30분 차이가 나의 하루를 아름답게 바꿔 놓았다. 지옥의 기상나팔이 분다. 하지만 극복해 냈다. 평소와 달리 가볍게 몸을 이끌고 아침 점호를 하러 운동장에 갔다. 점호 후, 평소와 같이 밥을 먹고 오늘은 중대 발표가 있다고 하셨다. "왜 기대가 될까?" 조교가 말하기를 오늘이 군대에서 나갈 수 있는 마지막 날이라고 한다. 그렇게 못 버틴 동기들이 하나 둘 빠져나간다. 아무도 말리지 않는다. 본인이 책임지는 자발적인 선택이었다. 그렇게 몇 분 후, 생활관에 40명 남짓 있던 사람들이 20명밖에 남지 않았다. 놀라웠다. "어차피 나가도 다시 재입대해야 할 텐데 왜 나가는 걸까?" 생각이 들었다. 그렇게 20명끼리 생활관을 쓸 줄 알았지만, 조교가 청천벽력 같은 소리를 했다. 우리 생활관은 공중분해 된다는 것이었다. 다른 생활관에서도 많은 인원이 중도 포기를 해서 생활관을 줄이겠다는 발표였다. 겨우 동기들과 말을 텄는데 새로운 세상에 다시 적응해야 하는 상황이 생긴 것이다. 내 옆에는 26살에 결혼한 형이 있었다. 이 형도 버티지 못하고 중도 퇴장했다. "지금쯤 아마 실실 웃으면서 가고 있겠지?"라고 생각하면서도 한편으로는 내 앞길이 걱정했다. 시간이 지날수록 동기들이 배정된 다른 생활관으로 뿔뿔이 흩어졌다. 나는 4-2소대에서 2-2소대로 배정받았다. 번호도 293번에서 130번으로 교체되었다. 로마에 오면 로마 법을 따르듯이 처음 생활관에서의 규칙이 2-2 생활관에선 아무런 소용이 없었다. 아무것도 모르는 나를 옆 동기인 131번, 129번이 챙겨주었는데

싫은 내색 하나 없이 도와줘서 고마웠다. 사람은 적응의 동물이라는 말이 있듯이 잘 적응해서 무사히 훈련소를 수료하고 싶다.

1주 차의 마지막 주말이다. 무자비하게 기상나팔이 분다. 아침 점호를 가서 도수체조를 하는데 아직도 못 외웠다. 스스로가 멍청하게 느껴졌다. 학창 시절에는 외우는 걸 좋아하던 내가 훈련소에선 무능하다고 생각했다. 군대가 사람을 바꿔 놓았다. 빛의 속도로 가던 평일의 시간이 주말에는 거북이 걸음처럼 느렸다. 종교활동도 코로나로 인해 전면 취소 되었다. 사회였으면 누워서 유튜브나 보고 있었을 텐데 훈련소에선 책이라도 읽게 되는 기적이 일어났다. 살면서 책을 읽어본 적이 손에 꼽는 것 같았다. 흥미로운 제목의 책을 골랐는데 "말 센스"라는 책이다. 하지만 3페이지 넘기고 그새 지루함을 이겨내지 못했다. 그렇게 멍을 때리다 동기와 이런저런 얘기를 했다. "사회에선 무엇을 하다 왔는지, 취미는 무엇인지." 등의 소재로 몇 시간 떠들다가 또다시 지루해졌다. 그래서 종이에 복무 신조, 도수체조 등 배웠던 것들을 다시 생각했고 신병훈련 가이드북을 정독했다. 다른 도서보다 현재 상황에 맞는 책을 읽으니, 집중이 잘되었다. "나도 점점 군대에 스며드는 걸까?"

2주차
〈끝이 보이지 않는 과정들〉

월요일이 돌아왔다. 오전 6시 반 기상. 웬일로 상큼한 브레이브걸스의 롤린이 들린다. 벌떡 일어나 주변 정리를 하고 아침 점호를 했다. 그 후 조교가 일정을 공지해주었다. 평가 과목들이 체력, 수류탄, 사격, 정신전력 등이 있는데 일정 점수를 못 넘기면 유급을 시킨다고 했다. 전부 다 자신 없었다. 체력은 사회에서도 팔굽혀펴기 1개 하는 것조차 너무 힘들어했기 때문이다. 스스로가 밉다. "운동 좀 해둘 걸" 그렇게 2주 차에는 정신전력교육을 받았다. 외울 것도 많은데 또 공부해야 한다. 미치겠다. 다른 동기들도 같은 생각인 것 같다. 툭 치면 부서질 거 같은 TV로 하루 종일 정신전력 교육을 받고 연병장에서 체력단련을 한다는 방송이 흘러나왔다. 너무나 가혹한 것 같다. "나한테 왜 이럴까?"

하지만 나와 같은 생각을 하는 동기들은 없었다. 체력단련 시간을 반가워했고 동물원에서 탈출한 원숭이처럼 소리를 질러댔다. 기가 빨린다. 그 후 두려운 팔굽혀펴기 시간이었다. 예상대로 팔굽혀펴기가 매우 힘들었고 맨바닥이라 손도 까졌다. 나의 모습을 본 동기들이 나를 비아냥거린다. 속상했고 학창 시절에 겪은 따돌림당하는 생활이 떠올랐다. 이때부터 나의 내면에 있던 자아가 심해 속으로 점점 더 가라앉았다. 걱정거리, 스트레스, 무시, 비교 등 기분이 풀리지 않는다. 하지만 이 기분이 다 날아가듯 좋은 일이 있었다. 훈련소에서 전화 통화를 시켜 준 것이다. 사소한 일에 기분이 오락가락 한다. 내면의 힘듦을 감추고 부모님에게 전화하여 "군대 생활 잘하고 있으니까 걱정하지 마!"라는 말 밖에 하지 못했다. 눈물이 쏟아져 나올 것 같았다. 평생 부모님과 떨어진 적 없던 내가 홀로 훈련소에 있으니 마음이 뒤숭숭했다. 마음을 재정비해야 할 필요를 느꼈다. "변화해야 한다."

변화하기로 다짐한 내가 호기롭게 기상한다. 비장한 마음으로 침상에서 일어났지만, 너무 힘들다. 사람은 쉽게 변화하지 않는다. 이 순간을 이겨내야 더 나은 내가 존재한다고 생각한다. 오늘의 일과는 총기 수여식이다. 드디어 진짜 총을 만져보는 순간이 온다. 신기함과 두근거림이 있었다. 군대 오기 전에 '태양의 후예'를 봐서 그런지 총 쏘는 모습이 너무나도 멋있게 보였기 때문이다. 그 후 생활관으로 K-2를 들고 보관함에 차곡차곡 넣어두었다. 다시 정신전력교육이 시작되었다. 졸렵다. 집에 가고 싶다. "다짐했잖아. 변화하기로. 뭐든 열심히 하자!"라는 자기암시를 걸고 모든 과정에 진심으로 임했다. 길고 길었던 교육이 끝나고 보급품을 받으러 갔다. 훈련병이 많아서 보급품을 배급받는 시간이 굉장히 길게 느껴졌다. 훈련복, 운동화, 세면용품 등을 받고 생활관에 돌아왔다. 그리고 몇 시간 뒤, 밥을 먹으러 가는데 큰 사건이 있었다. 바로 내 옆자리 131번이 줄을 통제하는 '보고자 훈련병'이 된 것이다. 즉 131번이 이동할 때마다 줄을 통제해야 하는 역할이다. 그런데, 옆에 보고자 훈련병과 같이 가던 조교가 돌에 발이 걸려 넘어질 뻔했다. 그런데 그 상황을 보고 131번이 웃은 것이다. 순식간에 분위기가 눈보라 오듯 차가워졌고 훈련소 조교의 화가 머리끝까지 치솟았다. 그 조교가 몇 시간동안 보고자 훈련병에게 훈육을 한 것 같았다. 꾸중을 들은 131번 동기가 "멘탈이 상당히 깨졌다."라며 주눅 들어 있었다. '어떤 말을 해도 위로가 안 되겠지만 견뎌내길 빌었다.' 길고 긴 월요일의 밤이 지나갔다.

무거운 몸이 반사적으로 기상나팔 소리에 반응한다. 평소와 같이 아침 점호 후 밥을 먹었다. 줄을 맞춰 돌아오는 길에 131번 훈련병이 어제의 일로 정신이 없는지 "줄줄이 좌로 가"를 "제자리 우로 가!"라고 해서 모두가 웃었다. 삭막했던 분위기가 한순간에 풀린 채 생활관으로 복귀했다. 그 후 조교가 버킷 리스트 작성 시간을 주었다. 사회에서 학벌로 인한 자격지심이 심한 나는 삼수해서 좋은 대학교 가기라는 목표를 세운다. 지금 생각해 보면 나의 내면이 약해진 게 재수 때문인 것 같다. 하지만 내가 선택한 일이고 책임을 져야 한다고 생각한다. 앞으로의 나를 스스로 바꿔가야 한다. 그 후 정신전력 교육이 또 기다리고 있었다. 아무런 생각도 들지 않는다. 길었던 교육 시간이 끝나고 보급품에 이름을 쓰고 세탁비누로 손빨래를 했다. 그리고 오늘의 하이라이트가 식단이 전투 식량이었다. 생애 처음 먹어보는데 호러영화 그 자체다. 음식의 생김새, 냄새, 맛 모든 것이 끔찍했다. 한 입 먹고 입에 손도 대지 않았다. 그리고 아무것도 먹지 못한 채로 체력단련 시간이 다가왔다. 남들이 비아냥거렸지만, 꾹 참고 무릎을 대서라도 팔굽혀 펴기를 연습했다.

그리고 저녁을 먹고 생활관에서 대기를 했다. 드디어 인터넷 편지가 오는 날이기 때문이다. 다른 동기들이 인편을 받는 모습을 보니 너무나 부러웠다. 조교가 계속 편지를 나눠주었는데 나에게 온 편지는 보이지 않았다. 이 시간을 너무나 기다려왔는데 실망이 컸다. 그런데 알고 보니 조교가 편지를 하나 두고 온 것이었다. "제발 나에게 한 통만 와라!"라는 기도를 했는데 정말로 그 편지가 나에게 와 있었다. 처음 받는 인터넷 편지라 감회가 새롭고 신선했다. 친한 친구에게 받았는데 그 친구의 성격이 다 드러나는 편지였다. 편지 내용이 강력해서 아직 기억이 난다. "고생 뒤에 낙이 온다."는 것이었다. 짧지만 강렬했다. "덕분에 힘이 나네."

나팔 소리가 귀를 간지럽힌다. 소름이 돋는다. 평소와 같은 일과를 보내고 밥을 먹으러 갔다. 그런데 오늘의 식단은 새우버거였다. 너무나도 기대됐다. 소스는 딸기잼과 타르타르소스를 같이 줬다. 처음엔 조합이 별로라 생각했다. 하지만 우려완 달리 너무 맛있었다. 사회에 있는 프랜차이즈 햄버거 가게보다 내 입맛을 사로잡았다. 그 후 마지막 정신전력 교육을 하고 시험을 봤다. 시험 결과는 모르겠지만 통과만 했으면 좋겠다. 변화하자고 마음을 먹은 뒤에 첫 평가 과목이었다. "잘 되겠지?" 그 후 얼마 만에 달콤한 TV 시청 시간인지 모두가 걸그룹 뮤직비디오를 틀더니 뚫어져라 TV를 쳐다봤다. "우와"라는 감탄사만 나오고 조용했다. 그 후 저녁 점호를 하고 처음으로 불침번 근무가 있어 걱정되는 마음에 잠을 설치다 늦게 잤다. 나의 근무는 새벽 5시다. 안 그래도 자는 시간이 모자란데 다른 근무자가 깨울 때 평소보다 2배나 힘들었다. 불침번 근무는 생활관 인원을 확인하는 역할이다. 첫 근무를 인수인계받고 충실히 역할을 수행했다. 무사히 근무를 마치고 다음 날을 맞이했다.

불침번 근무를 서고 난 직후라 눈이 말똥말똥했다. 근무를 마치고 2분 뒤 나팔 소리가 생활관에 쩌렁쩌렁 울린다. 감회가 새롭다. 정신이 멀쩡한 상태에서 들으니 덜 신경 쓰였다. 오늘은 개인화기 CBT를 보는 날이다. 총기를 만지면서 실습했다. 그리고 수류탄 투척 과정, 자세 등도 영상으로 시청했다. 그 후 밥을 먹고 선거 날이라 투표를 하러 군부대 밖으로 나갔다. 날씨가 너무 좋아 당장이라도 뛰쳐나가고 싶었다. 별 다른 일 없이 어두운 밤이 되고 인편을 받는 시간이 찾아왔다. 드디어 부모님의 인편이 나에게로 도착했다. 아버지와 어머니의 편지와 택배가 와 있었는데 순간 울컥했다. 여러 생필품, 정성이 담긴 편지 등 감동의 쓰나미가 몰려왔다. 부모님이 너무 보고 싶다.

꿀 같은 주말이 돌아왔다. 7시 기상인데다가 아침 점호를 하지 않았다. 하지만 오늘은 이발을 하는 날이라고 한다. 나는 평소에 이마가 매우 넓어 절대 앞머리를 올리지 않는다. 그래서 머리를 밀 때도 얼굴에 철판을 깔고 다녔다. 스스로도 머리가 너무 안 어울리는 것을 알고 있었다. 걱정이 된다. 그 후 이발을 시작했는데 여러 이발병이 선발되었다. 이발병 중 131번 훈련병도 이발병이었다. 그래서 그나마 친분이 있는131번 동기에게 머리를 맡겼다. 그런데 그 동기가 머리를 이발하면서 나보고 "너 혹시 탈모냐?" 라고 하길래 너무 화가 났지만 참았다. 인정하고 싶지 않지만 현실이다. 나 혼자 전쟁 같았던 이발이 끝나고 조교가 PX를 보내주었다. 기분이 마치 판타지 세계 속의 주인공이었고 바로 과자를 쓸어 담았다. 왜 사람들이 군대에 가면 초코파이가 그렇게 맛있다는 지 알 것 같았다. 초코파이를 한 입 먹었는데 맛이 고급 레스토랑 디저트와 같았다. 그 감동을 새기고 연속적으로 전화 시간도 부여 받았다. 전화 하나에 내 감정이 오락가락했다. "왜 이렇게 행복할까?" 이 기분을 간직 한 채 전화를 누나에게 걸었는데 전화를 받지 않았다. 결국 나의 전화 시간은 날아가고 울적한 마음으로 생활관에 돌아왔다. 그 후 인편을 받는 시간이 왔는데 나에겐 한 통도 오지 않았다. 다른 동기들은 편지가 계속 쌓여가는데 나는 단 한 장이었다. 여러모로 감정의 변화가 심한 날이었는데 자기 전까지도 계속 생각이 났다. "내일은 인편 오겠지?"라는 생각을 하고 잠들었다.

황금 같은 일요일이다. 오랜만에 윤슬 같은 휴식을 취한다. 그런데 이게 무슨 일인가?

갑자기 조교가 군가를 무조건 외우라고 통보한다. 평화로운 주말에 웬 날벼락인가. 사물함을 샅샅이 뒤져 구석에 박혀있던 군가 책을 꺼낸다. 전우, 아리랑겨레 푸른 소나무, 육군가 등 여러 군가들의 멜로디를 조교가 흥얼거렸는데 나도 모르게 웃음이 새어 나왔다. 공간이 뒤틀리는 듯한 음정, 귀를 자극하는 음표들은 본인이 음치라는 것을 나타내고 있었다. 하기 싫었던 군가 외우기였지만 조교의 시범으로 인해 적극적으로 참여하게 되었다. 모든 동기가 "내가 저 조교보단 잘 부르겠지?" 하며 생각한 거 같다. 군대에서 오랜만에 피식하고 웃어 본 날이다.

훈련소의 3주차 평일이다. 총기와 관련된 교육과 실습을 배우는 하루다. 영상 시청으로 총기분해 하는 법을 익힌 후 조교의 시범을 보았다. 총이 신기하고 관심이 있어 예전 자료들을 찾아봤었다. 하지만 글로 정보를 습득한 것과 직접 해보는 것과는 차원이 달랐다. 총기분해 실습과정을 보았지만 나는 전혀 따라하지 못했다. 스스로가 멍청하다고 생각했다. 자존심을 지키고 싶었지만 옆에 있던 131번 훈련병에게 집요하게 물어봐서 겨우 총기분해를 했다. 하지만 분해를 하면 조립도 해야 하는게 당연하다. 조립 과정에서도 큰 어려움을 겪었다. 또 물어보긴 창피해서 스스로 조립을 하다 모든 훈련생들 중에 가장 마지막으로 분해,조립을 마쳤다. 쥐구멍에라도 숨고 싶었다. 그리고 조준하는 법을 배웠다. 크리커 수정과 정조준 하는 방법 등을 배웠는데 이 과정은 이해가 잘 되었다. 자존심 상했던 일을 만회한다고 다짐하니까 그런 것 같다. 나도 내 자신을 모르겠다.

그 후 찾아온 죽음의 체력측정시간, 다른 동기들은 순식간에 팔굽혀펴기와 윗몸일으키기 그리고 뜀걸음 기준을 통과했다. 나는 팔굽혀펴기 8개, 윗몸일으키기 18개, 뜀걸음 15분으로 모두 불합격이었다. 절망적이다. 오늘 벌써 두번째로 쥐구멍에 숨고 싶었다. "하지만 어쩌겠냐. 내 자신이 부족한 걸." 다른 동기들의 비아냥거리는 것을 무시하고 내 갈 길을 가겠다고 다짐했다. 기필코 내 한계를 뛰어넘겠다.

다음 날, 어제 배웠던 정조준과 사격 예비 훈련을 했다. 'PRI' 라는 이름이었는데 피가 나고 근육이 뭉치고 이가 갈릴 만큼 힘들다는 악명 높은 훈련이다. 첫번째로 '엎드려 쏴'라는 자세를 배웠다. 맨 바닥에 엎드려서 총을 겨냥해야 한다. 총이 왜 이렇게 무거운지 바닥에 계속 총구가 처박혔다. 소형기를 땅에 닿지않게 하라는데 한 손으로 총을 지탱하기 너무 힘들었다. 그 후 '쪼그려 쏴', '서서 쏴', '숙여 쏴' 자세를 배웠다. 숙여 쏴는 발을 L짜로만들고 팔꿈치 바깥 쪽으로 조준하면 된다. 나머지 자세의 난이도는 평이했다. 그리고 애타게 기다렸던 점심시간이 왔다. 스파게티가 나왔는데 이렇게 맛있는 음식은 오랜만에 먹어봤다. 두 그릇이나 먹어서 배가 터질 것 같았다. "너무 많이 먹은 탓인가?" 배탈이 나서 식은 땀이 났다. 화장실까지 겨우 무거운 몸을 질질 끌고 문제를 해결했다. 그 후 수류탄 실습과정을 배웠다. 이 과정은 안전핀에 손가락을 넣어서 제거하고 던지면 된다. 수류탄을 던지기 전 "하나, 둘, 셋 확인"이라 말하고 고개를 숙이면 된다. 무사히 실습이 끝나고 수류탄 부품을 확인을 했는데 안전핀이 보이지 않았다. 당황해서 말을 횡설수설 했다. 다행히 별 일은 없었고 금방 땅 바닥에서 찾을 수 있었다.

일주일에 절반이나 왔다. 평소 같은 일상을 보내던 와중 단체사진을 찍는다고 한다. 번호 순서대로 조가 이루어졌다. 우리 조는 2조였다. 다들 참신하게 사진을 찍고 싶어해서 회의를 했다. 고심 끝에 나온 포즈가 거꾸로 V자를 하는 것이었다. 사람이 이렇게나 많은데 돌고 돌아 결국 평범하게 갔다. 역시 여러 명의 의견을 맞추는 것이 가장 힘들다. 사진을 찍은 후 생활관에 들어왔더니 라면과 과자가 잔뜩 쌓여있었다. 군대 오기 전에는 초코파이 하나 먹기 힘들 줄 알았는데 너무 많이 줘서 오히려 살이 뒤룩뒤룩 찔 것 같았다. 평소에 과자를 잘 먹질 않았는데 군대에 있으니 당이 너무 당긴다. 그렇게 나는 과자를 순식간에 전부 입 속으로 집어넣었다. 감당 못할 칼로리지만 내일의 나를 위한 당 보충이라고 생각하고 지금 이 순간을 행복하게 즐겼다.

주말까지 얼마 남지 않았다. 드디어 목요일이다. 뭔가 불안했지만 평소와 같이 아침 점호에 참석했다. 불안한 느낌이 딱 들어맞았는데 갑자기 뜀걸음을 한다고 통보했다. 아침 7시부터 뜀걸음이라니 내 마음은 무너졌다. 1차 체력 측정 당시 뜀걸음이 불합격이어서 불안해졌다. 그렇게 숨 돌릴 틈 없이 시작된 뜀걸음, 군가를 부르면서 열심히 뛴다. 당연하게도 못할 줄 알았던 뜀걸음이 강제로라도 같이 뛰니까 끝까지 완주할 수 있었다. 어제 먹은 내 과자 열량도 날아간 것 같아서 두 배로 뿌듯했다. 그 후 카드를 만든다고 해서 동기들과 오와열을 맞춰 대강당에 갔다. 두개의 은행이 있었는데 각각 20만원씩 적금을 들 수 있었다. 각 은행의 발표가 끝나고 퀴즈시간이 주어졌다. 정답을 맞추면 초코파이 한 박스를 준다고 해서 대강당에 있던 모든 동기들이 환호를 질렀다. "이게 군대인가?" 초코파이가 불러온 파급력이 이렇게 강할 줄 몰랐다. 수줍게 있던 나도 이 순간만큼은 무조건 정답을 맞추고 싶었다. 소심한 성격을 가진 내가 여기서 한번 변화하게 된 순간인 것 같다. "저요! 저요! 소리를 고래고래 지르며 정답을 맞추기 위해 재빠르게 손을 들었다." 정답을 외치고 초코파이를 받아갔는데 다른 동기들의 눈빛이 예사롭지 않았다. 알고 보니 부러움의 눈빛이었다.

이 순간만큼은 내가 유명인이 된 것 같았다. 치열했던 퀴즈가 끝나고 생활관에 와서 사격영상을 보고 일과를 마쳤다.

아름다운 금요일이 찾아왔다. 추적추적 비가 온다. 주말까지 단 한 걸음. 하루 종일 총기 관리를 하는 날이다. 강증유와 윤활유라는 것으로 총기 손질을 했다. 면봉으로 종일 총기 때를 닦아냈다. 비가 오랜만에 와서 반가웠지만 판초우의라는 것을 써야했다. 그런데 전에 있던 훈련병들이 어떻게 관리를 한 것인지 지린내가 진동을 했다. 내가 맡아 본 냄새 중 최악이었다. 밥 먹으로 가기가 왜 이렇게 힘든 것인지 냄새나는 우의를 태워버리고 싶었다. 아직까지 그 지린내가 기억난다. 밥을 먹은 뒤 K-2로 총기 휴대 제식을 했다. 여러 과정이 있는데 박자와 속도가 생명이었다. "수사불패 임무완수 나라를 위하여 전승할 수 있다"라는 구호도 큰 소리로 말해야 한다. 모든 것이 새롭다. 소심한 내가 새로운 걸 할 때마다 적응하기 힘들지만 적응해야 버틸 것 같다.

기다리던 주말이 왔다. 하지만 내가 생각하던 주말이 아니었다. 입소식 준비를 한다고 통보받았다. 방탄헬멧과 K-2소총을 가지고 운동장에 집합했다. 4월이었는데 햇빛이 무척 따가웠다. 방탄헬멧은 내 머리를 조여온다. 땡볕에서 몇 시간이 지났을까 땀이 비 오듯 흘러내리고 무사히 어제 했던 제식을 마쳤다. 힘들었지만 스스로 잘했다고 생각했고 절도 있는 동작이란 찾아볼 수 없는 내 몸에서 약간의 희망을 보았다. "그건 그렇고 내 머리는 왜 이렇게 큰 걸까?"

방탄헬멧을 특대사이즈로 착용했는데도 머리가 조인다. 그리고 간

부와 조교들이 갑자기 위국헌신이라는 글자를 만들어야 한다고 훈련병들을 줄 세웠다. 말 그대로 인간 글자를 만든다는 것 이었다. 어이가 없었지만 이해하려고 하면 안된다. 군대는 그런 곳 이다.

3주차
〈회심의 웃음〉

3주차 훈련소의 아침햇살이 따가운 날, 드디어 사격장에 서 있었다. 모두가 긴장한 채 사격 순서를 기다리는 가운데, 나는 생애 첫 발을 쏠 준비를 하고 있었다. 사격 훈련은 군 생활에서 중요한 이정표 중 하나였고, 나는 어떤 경험을 하게 될지 기대 반, 긴장 반의 마음이었다. 총을 든 손은 미세하게 떨리고 있었고, 마음은 더욱 긴장으로 고조되었다. 나는 주변의 모든 소음을 차단하고 숨을 깊게 들이켰다. 숨을 천천히 내쉬며, 총의 조준경을 통해 표적을 조준했다. 마음속으로 계속해서 '집중하자'라는 말을 반복하며, 숨을 완전히 멈추고, 총의 방아쇠를 천천히 당겼다. '빵!' 소리와 함께 발사된 총알은 정확히 표적의 중앙을 관통했다. 그 순간, 주변의 모든 긴장감이 일시에 사라지며, 나는 내가 해냈다는 성취감에 휩싸였다. 나는 그 순간을 영원히 잊지 못할 것이다.

점점 자대배치 받는 날이 다가온다는 게 체감이 된다. 희망 보직을 쓰는 시간이 찾아왔다. 보병, 포병, 통신병, 취사병, 일반물자보급 등의 선택지가 있었다. 나는 일반물자 보직을 1지망으로 작성했다. 취사병과 보병은 2,3 순위로 썼다. 일반물자는 가장 쉽고 흔히 말하는 꿀 빠는 보직이라고 생각해 1지망으로 작성했는데 모든 것이 무작위라고 한다. 운에 맡겨야 한다. 오랜만에 전화 통화 시간도 부여받았다. 부모님과 근황 이야기를 하고 원하는 보직이 되도록 기도해달라고 부탁했다.

다음 날, 새로운 과정을 배우는 시간이 왔다. 바로 악명 높기로 유명한 화생방 훈련이다. 방독면이랑 총 그리고 방탄 헬멧까지 다 갖추고 훈련을 받았다. 먼저 보호의, 전투화 덮개, 장갑, 방독면 등을 착용하는 방법을 배웠다. 굉장히 순조로웠고 심지어 코로나 때문에 예전부터 내가 알던 그 고통스러운 훈련은 취소되었다. 웃음이 절로 나왔다.

4주차
〈찾아온 위기의 순간〉

아침이 밝았다. 오늘은 수류탄 평가가 있는 날이다. 수류탄 훈련장까지 거리가 멀어 버스를 타고 이동했다. 훈련장에서 수류탄 투척은 매우 엄격하고 체계적으로 진행됐다. 내 차례가 되어 수류탄을 손에 쥐었을 때, 손은 땀으로 범벅이 되어 있었고, 마음은 긴장으로 고동쳤다. 조교의 신호와 함께 수류탄을 투척했는데, 어찌 된 영문인지 내 수류탄 투척 실력은 처참했다. 수류탄은 예상했던 방향보다 더 옆으로 갔고 점수를 얻는 범위에서 멀리서 터졌다. 나는 최하점을 받았고 평가 후 훈련소로 돌아왔다. 연습용 수류탄만 던지다 세열수류탄을 던졌는데 소리가 굉장했고 땅이 울렸다. 연습과 실전 둘 다 약한 나. 최하점을 받았지만, 새로운 경험을 했다는 것에 만족했다. 그리고 다음 날 배식 조에 배정되어 어이가 없었다. 점수가 낮은 것도 서러운데 배식 조까지 추가로 해야 하니 마음이 뒤숭숭했다. 배식이 끝나고 휴식을 취하려는데 갑작스러운 위생 검사를 했다. 조교들이 관물대 정리 상태와 마스크를 한 명씩 내리더니 "다들 수염이 콩나물이네. 좀 깎아라." 라는 말을 해서 웃음이 새어 나왔다.

5주차
〈훈련소의 꽃〉

각개전투 훈련소의 꽃이라고 하는 주가 나에게 찾아왔다. 예전에, 생활관에 있는 책을 꺼내서 읽었을 때 한 페이지에 "나는 갈게, 너는 각개"라는 말이 쓰여 있었는데 괜히 긴장되었다.

아침부터 단독군장을 메고 산에 올라갔다. 전술훈련을 하고 조교의 포복 시범을 보았다. 여태까지 했던 훈련 중 가장 힘들어 보였다.

기다리지 않은 실습 시간이 찾아왔다. 팔꿈치가 다 까지고 무거운 몸을 끌기가 참으로 어려웠다. 내 예상이 적중했다.

그리고 다음 날에도 산으로 바로 가야 했다. 그런데 이게 웬 날벼락인가? 아침부터 군장을 싸야 한다고 통보받았다. 사이렌 소리가 갑자기 나고 모든 짐을 챙겨서 텐트를 치러 가야 했다. 군장 무게는 25kg이었는데 땅에서 손이 날 붙잡는 것같이 한 걸음 한 걸음 내딛기 힘들었다. 그 후 목적지에 도착해 텐트를 쳤다. 텐트는 2인 1조로 치는데 신형텐트라 상당히 쉬웠다. 그리고 텐트에서 전투식량을 먹는데 새삼 느끼지만 정말 이렇게 맛없는 음식이 있다는 것에 놀라웠다. 전투식량은 말 그대로 전투시에 먹는 음식인데 맛이 좋다면 식량을 아껴야 할 전투 상황에서 한꺼번에 많이 먹어 비상식량 기능이 떨어진다는 점을 이유로 든다. 그래서 칼로리는 높은데 맛은 없다고 한다. 그 후 각개전투 훈련이 진행되었다. 각개전투는 20단계로 되어있고 순서대로 돌파해야 했다. 팀이 구성되었고 8단계까진 무사히 갔다. 하지만 9단계에선 나에게 두번째 시련이 찾아왔다. 포복으로 철조망을 하단 통과를 해야 했다. 팔꿈치가 부서질 뻔했다. 적당히 길어야 하는데 포복으로 도착지점까지 거리가 너무나 멀었다. 마스크를 끼고 답답한 상태에서 돌파하려니 막막했다. 정신이 나갈 뻔했다. 힘을 다 짜내 겨우 9단계를 돌파하고 나머지 단계도 무사히 완주했다. 혼자였으면 포기했을 텐데 동기들이 있어서 포기하지 않았다. 훈련소에서 인내심이 강해진 것 같다. 하지만 다음 날에 무시무시한 일이 일어나리라는 것이라는 것도 모른 채 잠에 들었다.

그날이다. 바로 행군하는 날이다. 미쳐버리겠다. 군장이 너무 무거워 과자 한 봉지만 넣고 싶었지만 그러지 못했다. 그리고 연병장에 모여 행군을 시작했다. 우리 기수는 코로나로 인해 약식으로 진행되었다. 부대 주변을 한 바퀴 도는데 모든 공기가 나를 짓누르는 기분이었다. 각개전투보다 더 힘든 것 같았다. "각개전투보다 더 힘든 훈련이 있다니." 겨우 정신을 부여잡고 두 번째 바퀴를 돌았을 땐 내 영혼이 빠져나간 것 같았다. 휴식 시간 때 보급품으로 음료와 초코바를 제공받았다. 세상에서 가장 맛있는 군것질이었다. 체력 보충을 하고 계속 걸었다. 감각이 무뎌지고 물집이 잡힌 것 같았다. 온몸이 쑤실 때 행군이 마무리되었다. 그 후 부대 연병장에 집합하여 최종적으로 일정이 끝났다. 우리 생활관 조교들이 건강 상태를 확인하면서 고생했다고 군번 줄을 걸어 주셨다. 그 순간 울컥했고 스스로 한계를 돌파했다는 것이 뿌듯했다.

6주차
〈내면의 발화〉

훈련소의 새벽은 언제나 그렇듯 조용하고 고요했지만, 그 속에서도 긴장과 기대가 뒤섞인 특별한 공기가 흐르고 있었다. 이번 주는 다름 아닌 수료식을 앞둔 마지막 주였다. 나는 눈을 떴을 때부터 마음이

설레었다. 수많은 훈련과 시련을 거치며 이제 내가 꿈꾸던 순간, 수료식이 단 며칠 앞으로 다가왔다는 사실이 실감 나지 않았다. 처음 훈련소에 왔을 때의 두려움과 초조함을 떠올렸고, 이제는 그런 감정들을 극복하고 여기까지 왔다는 사실에 스스로 자부심을 느꼈다. 또한, 동기들과의 우정, 상호 의지와 협력이 얼마나 중요한지 깨달았다. 부정적인 마음가짐. 한계를 부쉈다. 수료식까지 며칠 남지 않은 상황에서 대부분의 시간을 청소하며 보냈다. 짐 정리도 같이했다. 그런데 보급품 개수가 맞지 않았다. 분명 보급품에 이름을 다 써놨었는데 하계 체육복 반바지가 없었다. 동기들을 계속 의심하게 되었다. 의심해봤자 달라질 건 없어서 빨리 잊어버리기 위해 노력했다.

드디어 기다렸던 수료식 당일이다. 부대 전체가 수료식 연습을 반복해서 했다. 무한 반복연습 끝에 시간이 되어 군악대 음악에 맞춰 수료식이 진행되었다. 여태까지 배운 총기제식을 하고 사단장님의 말씀이 끝나고 수료식을 무사히 마쳤다. 태극기와 이병 마크를 동기끼리 군복에 달아주었다. 새로운 출발을 한다는 생각에 가슴이 두근거렸다. 그리고 생활관으로 복귀 후 동기들과 조교에게 줄 롤링 페이퍼를 작성해서 숨겨놓았다. 내일 깜짝 이벤트를 할 생각을 하니 반응이 기대된다.

훈련소에서 마지막 날이다. 관물대에 짐을 챙기고 전출 준비를 했다. 그리고 어제 준비했던 롤링 페이퍼를 조교에게 주었다. 반응을 보니 아주 감동적이었다. 어렵고 멀리 느껴지는 사람들이 마지막이 되니 더 친해지지 못해 아쉬움이 많이 남았다. 아쉬움도 잠시 군대 조교는 우리에게 또 청소를 시킨다. 역시 군대는 기대를 저버리지 않는다. 화장실 청소와 생활관 청소를 마무리하고 긴 시간 동안 대기를 했다. 오랜 기다림 끝에 버스가 와서 인사를 하고 훈련소와 작별 인사를 했다. 앞으로 다가올 나의 새로운 자대 생활이 기대된다.

시작이 필요한 당신에게

발행 2024년 5월 10일
지은이 오경애, 송수연, 유슬기, 이도렬, 수인, 다교, 이성준, 세보
라이팅리더 조주헌
디자인 윤소정
펴낸이 정원우
펴낸곳 글ego
출판등록 2019.06.21 (제2019-000227호)
주소 서울시 강남구 강남대로 118길 24 3층
이메일 writing4ego@gmail.com
홈페이지 http://egowriting.com
인스타그램 @egowriting

ISBN 979-11-6666-488-5